KB196475

누이의
방

실천시선 208

누이의 방

2013년 2월 8일 1판 1쇄 찍음
2013년 2월 15일 1판 1쇄 펴냄

지은이   전기철
펴낸이   손택수
편집   이상현, 이호석, 임아진
디자인   김현주
관리 · 영업   김태일, 이용희

펴낸곳   (주)실천문학
등록   10-1221호(1995.10.26.)
주소   우121-839, 서울시 마포구 서교동 478-3 동궁빌딩 501호
전화   322-2161~5
팩스   322-2166
홈페이지   www.silcheon.com

ⓒ 전기철, 2013

ISBN 978-89-392-2208-3 03810

이 시집은 숭의학술연구비를 지원받았습니다.
이 책 내용의 전부 또는 일부를 재사용하려면
반드시 지은이와 실천문학사 양측의 동의를 받아야 합니다.

이 도서의 국립중앙도서관 출판시도서목록(CIP)은
e-CIP홈페이지(http://www.nl.go.kr/ecip)와
국가자료공동목록시스템(http://www.nl.go.kr/
kolisnet)에서 이용하실 수 있습니다.
(CIP제어번호:CIP2013000641)

실천시선

208

누이의 방

전기철

실천문학사

차례

제1부

제2부

제3부

제 1 부

여자 투우사

소나 돼지가 반체제 인사라도 되는 듯
날마다 땅에 파묻고 격리시키고
망명자 행세를 하는 개들이 뒷골목을 어슬렁거리는
이 바보 같은 사회에서
서정시는 무슨 소용이 있는가?

노래방에서 밤새 일하는 누이에게
서정시란 몇 푼어치의 위안인가?
아침이면 잠이 오지 않는다며
폐가가 허물어지는 듯한 목소리로 전화를 하는
누이에게 서정시란 무엇인가?

오빠, 나한데 인간이 되라고 하지? 그런 말 하지 마. 나
는 종말론자야. 허공에 뿌리를 내리고 살아가는 사람에게
내일은 없는 거야. 영혼을 모두 돈에 팔아버렸거든. 밤은
나의 대륙이고 나는 종말의 박물관이야.

나는 홀로 우체통처럼 빨개져서
할 말이라도 있는 것처럼
시부렁대는 시계를 바라보며
서정시 같은 말을 뱉는다.
너에게 시집을 보낼게. 네 밤을 지켜줄 거야.

오빠, 시가 밥 먹여줘? 오빠도 알지. 내 꿈이 투우사라
는 거. 커다란 경기장에서 카포테를 들고 서 있는 투우사
말이야. 여자 투우사!

누이는 자신의 대륙에 홀로 서서
　그런데 오빠, 밤마다 야근을 하는 달은 시급이 얼마나
될까?
　나 같은 년의 아픔 때문에 지구가 무거워지면 안 되는
데……. 그치, 오빠!

　그 순간

투우사의 칼이

나의 시

한복판에 박히는 것을 보았다.

한여름 밤의 꿈

세상은 마법에 걸렸어요.
이스라엘 사람 유리 겔라가
숟가락을 구부리는 밤
모두들 티브이 앞에서
알라딘의 요술 램프를 쓰다듬듯이
숟가락을
밥 먹는 숟가락의 고개를
부러뜨리는 밤
그 한여름 밤에
나는 알바에서 잘려 행복에 시달리며
동물원으로 표범을 보러 갔어요.
그 한여름 밤에
모두들 숟가락을 부러뜨리는 밤에
동물원의 담을 넘었어요.
먼 아프리카의 꿈을 만나러
한여름 밤에
숟가락을 구부리는

한여름 밤에
세상의 담을 넘었어요.
유리 겔라가 숟가락을 부러뜨리는 밤에
아프리카의 밤을 만나러 갔어요.
숟가락들이 부러지는 밤에
세상의 담을 넘었어요.
어머니는 아직도 배추를 다 팔지 못해
돌아오지 못하고 있는 밤에

발해의 말 정수

전쟁이 끝났지만 아버지는 돌아오지 않았다.
어머니와 나는 점점 말을 잃어갔다.
어머니는 귀환병들에게 아버지의 소식을 묻지 않았고
담배를 불침번으로 세우고는
세잔의 사과처럼 아무 데나 퍼질러 앉았다.

아버지의 이름 위로 비가 내리고
눈이 내리고
모든 사물들은 우리를 외면했고
새들도 나날이 뻔뻔스러워졌다.
어머니는 외로움과 친구가 됐고
나는 권태를 발명했다.
내 유일한 위로는 밤하늘의 시리우스였는데,
밤이면 시리우스를 데리고 먼 곳까지 갔다가
새벽에야 돌아오곤 했다.

별이 뜨지 않는 밤이 계속되었다.

어느 날 한 상이군인이 마을에 나타났다.
휘파람을 불며
세상의 모든 이야기를 낡은 가방에 넣고 다니는 행상이
었다.

어머니와 내가 고요를 머릿속에 채우고
누워 있으면
그 군인의 악기가 울었다.
나는 발해의 말 장수라네.
수많은 전쟁을 지나 국경을 넘은
발해의 말 장수라네.
두만강을 건너 아무르 너머
발해의 말 장수라네.

어머니는 외로움을 안은 채 꼼짝도 않고 누워 있었고
나는 말 장수의 악기가 내 심장을 연주하는 소리를 밤
새 들었다.

두려움을 모르면 어른이 되지 않아.
두만강 건너 아무르 너머
말을 달리면
안개 자욱한 초원이 있다네.
외로운 이여,
내 왼쪽 가슴에 난 창문을 열어
청동 말을 타고 가면
꿈꾸는 발해가 있다네.

나는 발해의 말 장수
세상을 건너는 말 장수
神道로 말을 달리는 발해의 말 장수
안개를 데리고 다니는
발해의 말 장수
두려움을 모르면 어른이 되지 않아.

나는 방을 뛰쳐나갔다.

하늘에서 찬란하게 짖고 있는 시리우스가
금세 나를 데리고 먼 발해로 달려갈 것만 같아
두리번거렸지만
발해의 말 장수는 어디에도 보이지 않았고
휘파람 소리도 들리지 않았다.
혼몽한 밤안개 사이로
밤새 짖어대던 시리우스

플라타너스

오늘은 예이츠가 죽은 날
그날처럼
눈 내리고 춥다.

바람이 어둠과 범벅이 되어
헛소문을 퍼뜨리고 다니는 거리에서
떨고 있는
나의 누이, 플라타너스여,

아직 나는
유년의 대륙을 찾지 못해
고독을 어깨에 짊어지고
증오를 직업으로 삼은 채 갈 곳을 찾지 못하고 있다.

왜 이렇게
그리움은 쉽게 마모되고
희망은 마약인가.

가진 자들이 사이코패스가 되어 눈을 부라리는
엄혹한 세상에서
나는 저주받은 시나 쓴다.

나의 누이, 플라타너스여,
내 유년의 대륙으로 가고 싶다.
그곳에 가서
쓸모없는 나무가 되고 싶다.

오늘은 예이츠가 죽은 날
불평 많은 나의 시를 데리고
이니스프리로 가고 싶다.

키치
―청년 시대 1

벼락공부를 했지만
세상 물정은 더 어두워졌고
개 값은 하늘을 찔렀다.
이용복의 〈줄리아〉나 송창식의 〈고래 사냥〉을 부르며
지식인들이 버린 세상에서
나팔바지를 입고 통기타를 치며 대마초를 피웠다.

오, 나의 줄리아!
남북의 정치인들이 민주주의를 서로 베끼고 있을 때
똑똑한 선배들은 서양 지식인을 베끼다가 감옥에 갔고
이상한 나라를 꿈꾸는 친구들은
송창식의 〈고래 사냥〉을 부르며 바다로 갔지만
학교를 떠나지 못한 나는
막걸리로 젊음을 탕진했다.

개 값은 오를 대로 오르는데
지식인들은 민주주의에 골몰하고

나날이 천수답이 되어간 영혼은
욕망 때문에 내출혈을 일으켰다. 그때마다
방석집 '불나비'로 갔다.

네 눈은 방랑의 언어야! 라며
대마초를 내 입에 쑤셔 넣던
나의 메타포, 줄리아!
공터에 버려진 나의 가구, 줄리아!

길을 잃지 않고는 길을 찾을 수 없다.
접시꽃은 담벼락 밑에서 나 대신 참회를 하고
나는 줄리아를 따라 공동묘지에 가서
만찬을 즐겼다. 대마초를 피우며
〈줄리아〉를 부르고 〈고래 사냥〉을 불렀다.

개 값은 오를 대로 오르고
벼락공부는 나를 까맣게 그슬렸다.

풀 하우스
—청년 시대 2

도시는 갈수록 난해해졌다.
학교에서는 살아가는 방법을 가르쳐주지 않아
문학개론이나 시론을 저당 잡히고
술을 마시며 바이칼을 꿈꿨지만
내 영혼에는 창문이 없었다.

랭보를 림보로 읽으며
난해한 도시 음악에 빠졌다.
루쉰은 희망이 창녀라고 했지만
김추자의 금지곡에서 희망을 찾았다.
바이칼로 가는 꿈을 결코 접을 수는 없었기 때문에

아버지는 위험한 야당 정치인이나 따라다니느라
집에는 코빼기도 내밀지 않았고
어머니는 미장원에 가서 처녀 적
미모에 대한 거짓말을 늘어놓느라
밤이 늦도록 돌아오지 않았다.

총각을 떼기는 정말 힘들었다.
친구들은 내 총각을 떼어주려고
은회색 밤으로 끌고 다녔지만
나는 고자 콤플렉스에 시달렸다.

『펜트하우스』를 보며 자위를 하고
타나토스와 에로스 사이에서 방황하며
잠을 설치기 일쑤였는데
자다가도 가위에 눌려 일어나보면
내 그림자가 자위를 하고 있었다.
그런 날 아침은 딴 세상이었다.

제복을 벗은 군인들이 다스리던 엄혹한 시절
림보의 난해한 도시 음악 속을
진흙 소처럼 나는 무모하게 떠돌며
바이칼을 꿈꿨다. 불구의 태양 아래

비상구가 없는 도시를 변태처럼 떠돌면서
바이칼에서 우리 선조들이 어떻게 한반도로 내려왔을
까를 생각했다.

어스름이면 참새들이 전선에 목매달고 있는
도시의 황혼에서
바이칼로 가는 창문을 내리고
도루코 면도날을 몸에 지니고 다녔다.
총각을 떼기는 정말 힘들었다.

풍금

초등학교 동창생이 죽었다.
〈나자리노〉를 즐겨 부르던 아이
누구를 만나든
유리 가가린의 "어둠을 즐기십시오"라고 하던 아이
우리들 사이에서 별에 대해 가장 많이 알던 아이
요셉처럼 꿈 장사를 하던 아이가 죽었다.

연극에서처럼 인생을 급전시키기 위해
창녀가 된 가난한 아이
"나는 별의 친구야! 별을 읽는 법을 가르쳐줄까?" 하면서
밤의 메뉴판을 내밀던 아이가 자신의 별로 갔다.

어떤 선생님도 가르쳐주지 않았고
어떤 책에서도 배우지 못했던
옛날이야기는 모두 신성하며
옛말들은 모두 신비하다는 것을
가르쳐준 그 아이가

창녀가 되어 간다면서 자랑하던
화장을 진하게 하고 동창 모임에 나타나
세상이 얼마나 보잘것없는가를 신나게 얘기해주던
세상을 돈짝보다 작게 생각하던
아이가 죽었다.

친구야,
별이란 다른 시간에서 달려오는 거야.
나는 네 밤의 장기 투숙자가 될게.
네가 보고 싶으면
외로운 공중전화 부스에서
너의 별에 전화를 걸게.
예이츠의 보름달이 뜨면
하루를 반으로 찢어서 너에게 편지도 쓸게.

그런 날 밤

너와 나의 학교에서

저 홀로 신음하던 풍금이 울고 있을 거야.

광주
—1980년의 비망록

군인들이 몰려온다는 소문이
전염병처럼 떠도는 도시에서
일자리를 찾지 못해 허기진 심장은
몽상과 기억 사이
몽환에 빠진
밤으로 들어서는 라쿠카라차*였다.

불빛에 어둠이 들볶이는 시간
허공을 등에 한가득 짊어지고
집으로 돌아와
어머니 몰래 손짓하는
과부 누이를 따라 지붕 위로 올라갔다.
"북소리가 들리지 않니? 밤 너머에서 우는 북소리!"
누이는 심장에 무리가 갔다.

밤 너머로
귀를 기울이는

우리는 라쿠카라차였다.
군인들은 쉬 오지 않았고
불안과 권태가 온 도시에 펄럭였다.

태양이 허공에 못질 된 낮이면
모르는 이들의 장례식장을 떠돌거나
도스토옙스키의 골방 철학에 골몰하다가
밤이 되면 누이에게 이끌려
지붕에 올라가 누이의 심장에 귀를 기울이는
나는 돌로레스**,
혼세마왕***이 떠돌아다니는 도시에서
우리는 불량품이었다.
라쿠카라차! 라쿠카라차!

---

* 1910년대 멕시코 혁명 당시 농민들 스스로를 칭하는 말이자 이들이 부른
노래 제목으로 라쿠카라차(La Cucaracha)는 바퀴벌레라는 뜻을 가졌다.
** 돌로레스(Dolores)는 고통이라는 뜻을 가진 단어로 멕시코 혁명의 정신
이기도 하다.
***『서유기』에 나오는 세상을 어지럽히는 마왕.

작은 새, 나의 작은 새여

나는 작은 새가 날아가버릴까 봐 수탉처럼 우쭐대지도 않았고, 광견병에 걸린 개처럼 으르렁대지도 않았어.

그런데 왜 경찰이 오지?

경찰들 말은 알아들을 수가 없어. 외국어를 쓰나 봐.

외인부대가 아닐까?

누가 내게 신(神)을 만들어줘. 내 안에 갇힌 나비를 날려 보내줘야 하거든.

금발의 태양이 저 혼자 반짝거릴 때 하늘로 올라가는 나선형 계단에서 화장지를 찢어서 날려야겠어.

내 호주머니를 뒤져봐. 조각난 구름과 상처 입은 바람, 버려진 메모지가 가득하다고.

언젠가 환기통으로 나비가 들어왔는데 무덤 위 꽃들의 임종을 지켜보았는지 무뚝뚝한 표정이었어.

슬픔은 습지의 버섯처럼 자란다고.

내 가방에는 우산이 들어 있어. 비가 오지 않아도 가방 속에는 항상 우산이 있어. 핵우산 같은 거지. 브래지어 같은 것.

가난한 사람들은 빵 조각으로 새를 만들어. 그렇지만 날개가 너무 작아 날지 못하는 거야.

경찰에게 잡히기 전에 빨리 어딘가로 가야겠다, 경찰 말을 알아듣지 못하면 죄가 되거든.

그러고 보니 작은 새 소리가 들리지 않아.

나는 시냇물처럼 징징댈 수밖에 없는 건가?

비나 내렸으면! 외인부대들이 더 이상 설치지 않게.

불행해서 기뻐요

형은 빌리 홀리데이의 〈불행해서 기뻐요〉로 연명했다.
가족들은 형이 연금술을 발명하거나
약속의 땅이라도 발견한 줄 알고
형의 눈치를 보았다.

그 여자가 죽고 난 뒤
오직 불행해서 기뻐요, 로 살아가며
둥우리에서 떨어진 새 새끼처럼 바들바들 떨던
형은 남에게 해를 끼쳐본 적 없는 새였다.
미치광이 새였다.

아버지가 여자는 사치품이야, 라고 말하면
형은 머릿속에 관광객이라도 찾아온 듯이
갑자기 환해져서는
〈불행해서 기뻐요〉를 불러댔다.

약속의 땅이라도 발견했는지

어느 날 갑자기 사라졌다가
아버지가 죽었을 때
장의사가 되어 나타난

형은
곡두의 새처럼
〈불행해서 기뻐요〉를 정말
기쁜 듯이 뽑아댔다.

약 아이

오바마 1년 혹은 이명박 2년 12월 29일 눈이 오다 그치고 바람만 세차게 불다

서울은 신음 소리를 냈다. 흉터가 몸 안을 떠돌아 맥주로 머리를 헹궜다. 침묵을 너무 마신 탓인지 피가 속삭인다. 나는 정문 수위의 표정을 하고 인사동으로 갔다. 인사동 사거리에는 한국전쟁 때 죽은 소녀가 아직도 청동 책을 읽고 있다.

아버지는 아편쟁이었다.
전쟁으로 자신의 형을 잃은 아버지는
주삿바늘로 전쟁을 하고 있었고
나는 아버지의 약 아이였다.
어머니는 아버지의 전쟁을 끝내야 한다면서 내 오줌을 받아 먹였다.
휴전협정이 훨씬 지났는데도
아버지의 전쟁은 쉽게 끝나지 않았다.
밖으로 나가면

개들이 나를 보며 침을 흘렸고
먼 곳에서 거세된 싸움소의 울음소리가 들렸다.

오바마 2년 혹은 이명박 3년 1월 2일 눈이 뿌리다
　파키스탄에서 폭탄 테러가 있었다. 지구상에서 전쟁은
결코 끝나지 않았다. 용산의 전쟁은 한쪽에서는 끝났다고
하고 또 다른 쪽에서는 끝나지 않았다고 한다. 보스
(Hieronymus Bosch)의 돌이 머리에 너무 깊이 박혔나 보다.
머릿속에 목소리가 많이 들어와 있다. 나는 아침부터 루
터의 잉크병을 던지며 법석을 떨었다. 눈은 먼 산에서 시
대에 대한 성명서를 펼치고 있었다. 서울에서는 가격표들
이 둥둥 떠다녔다. 나는 청동 소녀의 슬픈 책 속을 더듬는
다. 소녀의 책은 너무 시끄럽다.

어머니는 아버지의 전쟁을 끝내기 위해
내 아침을 망쳤다.
호시탐탐 노리는 개들의 눈초리를 느끼며

나는 싸움소의 울음소리를 들었다.
동네에서 갓난아이들은 쉽게 죽었고
죽은 이의 집 위에서 달이 썩을 때
마을은 환각제를 뿌려놓은 듯 몽롱했다.
나는 아버지의 약 아이였다.

오바마 2년 혹은 이명박 3년 1월 4일 폭설이다
거리는 자동차들의 무덤이다. 서울은 모욕을 당했다.
내 안의 괘종시계가 심장을 두드린다. 웅크린 가난에는
귀가 없다. 미국이 벌이는 전쟁으로 아프간에서는 나무들
이 레퀴엠을 연주한다고 한다. 인사동에서 인형을 샀다.
나는 소녀의 슬픈 청동 책 속에 인형을 넣어준다. 너무 많
은 손들이 들어와 있어 책이 끙끙 앓는다. 나는 맥주로 머
리를 헹궜다.

나는 약 아이였다.
함부로 아무거나 먹어서도 안 되고 아무 데서나 오줌을

눌 수도 없는
　약 아이였다.
　아버지의 끝나지 않는 전쟁 속에서 더 이상 자라지 못
하고
　입을 다시는 개들을 피해
　씨앗 달에 이파리가 돋을 때
　싸움소를 꿈꾸는 약 아이였다.

부러진 봄

일본에서 대지진이 일어난 날
경찰서에서 누이를 데리고 나왔다.
누이는 미안하다는 말 한마디를 뱉고는
저만치 뒤따라왔다.

이번이 몇 번짼 줄 알아! 누이는 허공에 뿌리를 내리고
살아? 왜 그렇게 세상에 길들여지지 않는 거야. 불행한
과거를 들쑤시지 마. 누이가 뭐 억울한 죄인이라도 되는
줄 아는 모양인가 본데, 제발 서울 나오지 마.

불빛으로 치장한 거리는 무참했다.
장화 신은 고양이처럼 변장한 사람들이
주절거리고 다니는 거리에서
설익은 불빛들이 눈을 부라렸다.

한참 만에 돌아보니
누이를 잃은 불행한 과거가

눈물을 주렁주렁 달고

저만치 따라오고 있었다.

누이는 서울의 오지 무질서한 풍경 속으로 걸어갔을 것
이다.

거기

홀로 변기통에서

은도끼 금도끼라도 건져 올리려고 끙끙거리고 있을 것
이다.

그날은

일본에서 대지진이 일어난 날이었다.

가진 자들이 맞춤형으로 만든 법률 속에서

꽃망울은 죄 없이 벌벌 떨었다.

누이야,

나도 권선징악이 있고

해피엔딩이 있는 세상으로 가고 싶어.

마왕*

마왕이 나를 찾아온 시간은
또 하나의 대륙
밤이었네.
머릿속에서 모든 계산기를 몰아내고
이십일 세기의 화형식을 거행하는 밤이었네.

나보코프처럼 나비나 쫓아다니면서
지낸 세월이 부끄러워
외투를 못으로 처형하고 벽지를 끌어당겨
슈베르트를 들으며 누워 있었네.

갑자기 창문을 두드리는 목소리 하나
"거짓이 우리 모두를 보호하지."
꿈에서 나온 목소리인가, 내 영혼의 패러디인가.
희미하게 들리는 목소리 하나
"비참함은 나의 직업이고
내 머릿속은 치명적인 동물의 서식지지."

심장은 늑대의 목소리를 들은 양처럼
떨고 있었네.
"당신은 마왕인가요?"
"나는 테러리스트,
  진실과 거짓 사이를 다니고 앰뷸런스는 나의 망명지
지."

"오, 미스터 불운!
셰익스피어는 역경 속에서 철학이 나온다고 했어요.
당신은 배추 장사를 하던 우리 어머니인가요?
차부에서 창녀가 된 내 어린 시절 여자 친구인가요?
아니면
비틀즈가 믿는 어제에서 온 사람인가요?"

"나는 당신의 마음을 곡괭이로 파는 사람
어린아이처럼 질문만을 던지는 사람이지."

"오, 당신은 행려병자군요!

세상의 슬픔은 크레인으로도 들어 올릴 수 없을 만치
무거워요."

"나는 도스토옙스키의 백치 공작처럼 불한당들에게 둘
러싸여 있고

날마다 길에서 비둘기들에게 모욕을 당하지."

"오, 수배자!

그대는 베케트처럼 고도를 기다리고 있군요."

"나는 섹스 피스톨스나 밥 말리가 되고 싶지만

사이와 침묵에 갇혀 있지."

"불평하지 말아요.

방물장수인 하나님도 어쩔 수 없는 세상이에요."

"세상을 어떻게 살아가야 하느냐고?

콤씨콤싸**!"

브레이크 밟는 소리와 함께

밤의 대륙이 나에게서 떠나가고 있었네.

누이의 방

아내를 따라 백화점에 갔다가
아내가 0이 너무 많이 달린 옷을 집으며 나를 힐끗하기에
어떻게 우리 형편에 그렇게 배짱이 좋으냐고 쏘아붙이
고는 휙 나와 찬바람 속을 걷는데
여동생의 얼굴이 몇 십 개의 동그라미로 어른거린다.

망설이고 망설이다가,
전세금이 올랐는데 빌릴 데가 없다며
0을 모두 말하지 못하고 두 장을 얘기하기에
내가 이천이냐고 물으니
깜짝 놀라며 0을 하나 빼고
다섯 장이 올랐는데 어떻게 두 장 안 되겠느냐고 하던
누이

0을 하나 더 빼고 보냈더니
고맙다고 수십 번도 더 한 누이
어머니에게 절대 말하지 말아달라고 한 누이

이혼하고 두 아이를 혼자 키우며
팔십만 원짜리 간병인으로 살아가는 누이

아내는 저만치
까맣고 조그만 0을 달고
하나짜리 0을 달고 수많은 0들 사이로 뒤따라온다.
둘이서 말없이 지하철을 타는데
그날따라 지하철은 왜 그렇게 롤러코스터인지.
앞자리에 앉은 까만 0들은 또 얼마나 무참히도 찌그러
져 있는지.

오빠, 물속에서 누가 오래 참을 수 있는지 내기할래?
백만 원이다!

어느 자해공길단의 고백

퍽치기나 자해공갈단이 되고 싶은 건 아니었어요.
돈과 결혼하려고 했지만
희망은 지명수배를 당했고
링 위에는 늘 수건이 던져졌어요.
돈에서는 왜 이렇게 피 냄새가 나는 걸까요.

지구에서 번지점프라도 하는 듯이
한밤의 침묵을 허물고
달리는 차에 뛰어들어 피로 고통을 씻어요.
알리바바처럼 '열려라 참깨!' 소리치며
저세상에 아는 사람이라도 있는 것처럼
생명선으로 뛰어들어요.

아무도 내 상처를 사려고 하지 않아요.
위조지폐조차 나를 사려고 하지 않아요.
찰나 속으로 서투르게 뛰어드는
나는 불행의 일기장이에요.

멀리서 바람잡이의 신호가 나풀거려요.
순간, 머릿속은 끊임없이 정권이 바뀌고
가슴은 늘 전쟁의 끝자락인 듯 쿵쿵거려요.
누군가가 하나님께 왼손으로 쓴 밀고장 때문에
거덜이 나버린 생에서 탈옥하고 싶어요.

스티브 잡스의 썩은 사과도 일을 내는데
나는 왜 불한당들의 액자 속에 갇혀 있어야 하나요.
나도 다른 세상 속으로 성냥불을 켜고 들어가
천사 놀이를 하고 싶어요.

'사고 잦은 곳' 팻말을 뽑아버리고
담뱃불로 어둠을 가꾸는 바람잡이의 신호에 따라
영영 낯선 사람이 되고 싶어
헤드라이트의 몽환 속으로 오늘도 뛰어들어요.

낙원시장 89호 금이네 집

아버지 얘기는 꺼내지도 마.
누이는 표정 없이 콩나물국을 푼다.
나는 젯밥에 꽂힌 숟가락처럼 우두커니 앉아
막걸리에 어린 누이의 얼굴을 본다.
사람과 유령의 경계, 진실과 거짓의 경계로 다니는
이복 누이
내 인생은 도둑맞은 하루 같아.
족발이 나오고 뚝, 뚝, 김치 써는 소리가 들리고
도깨비에게 홀려본 적 있어? 귀신들이 돌을 던지는 특
급열차는 타봤어?
나는 아버지에 대한 미사여구로 가득한 기억을 주렁주
렁 매달고 앉아
88호와 90호 사이
바람들이 말다툼하는 89호에서
책형을 당한 자처럼 벌게져서
하고 싶은 말들을 얼굴에 묻고 있는데
나는 절망의 장사꾼이야. 아버지는 매물로 낼 수도 없

는 귀신이라고. 세상이 내게 바리케이드를 치고 인간들은
방언만 지껄여대. 왜 나한테는 이렇게 급커브 길밖에 없
는지……. 시간은 돌팔이 의사더라.

　아버지의 젯날을 꺼내보지도 못한 채

　연거푸 막걸리 몇 사발을 마시고 간다는 말도 없이 밖
으로 나와

　가판대에서 신문을 사서 펼치니

　낭떠러지에 한 사람이 아슬아슬하게 매달려 나를 쳐다
본다.

휴선선 편지

세상의 끝, 경계선에서
나는 총구로 거짓된 고요를 뒤진다.
폭죽처럼 터지는 인광(燐光)들
전쟁의 마지막 숨결인 양 헐떡이고
철조망에 끼워놓은
하얀 돌멩이들이 툭, 툭, 신경질적인 몽상을 뱉는다.
임진강 건너, 혹은 망각 너머
또 다른 초소 쪽에서도
짐승의 인광들이 뛰어다닌다.

삼촌의 편지 1: 장, 휴전선은 지도에 없는 땅이다. 지금
생각해보면 내가 그곳을 탈출할 수 있
었던 것도 기적이다. 몽롱한 원시의 제
전처럼 피 냄새 가득한 곳에서 나는 한
시도 눈을 뗄 수가 없었다. 거기에는 어
색한 침묵처럼 무거운 잠들이 내려앉아
있지. 적막의 뼈들이 툭, 툭, 부러지는

소리를 내며 흔적도 남기지 않고 떠도
는 걸 지금도 느껴. 너는 거기에 절대 빠
져서는 안 된다. 그 거짓 침묵에 빠지면
다시는 살아서 돌아올 수가 없다. 명심
해라, 장! 그곳은 지구상에 없는 빈 페이
지야.

길 잃은 야광충들
별들은 타닥타닥 소리를 내며 내려앉아
보초병들의 청각을 병들게 한다.
거짓된 고요를 견디지 못해
전쟁이나 확, 일어났으면 좋겠다는 김 상병의 중얼거림
때문인지
세상의 끝
휴전선에서는 늘 전쟁터의 고요가 떠돈다.
그럴 때면
비눗방울처럼 부풀어 오른

휴전선은 몽유병을 앓아
나는 몸 전체가 눈이 되고 귀가 되어
유령처럼 구불구불한 순시로(巡視路)를 따라 미친 듯
고요를 끌고 다닌다.

삼촌의 편지 2: 장, 수수께끼로 떠돌아다니는 섬에는
　　　　　　　도깨비의 환영이 난무하다. 잡신 들린
　　　　　　　무당들이 밤이면 노루를 죽이고 피 냄
　　　　　　　새를 뿌리는 곳에 갇히면 나오지 못한
　　　　　　　다. 네 눈이 마술에 걸리지 않도록 해라.
　　　　　　　안개에 속지 마라. 안개는 독재자들이
　　　　　　　퍼뜨려놓은 뜬소문이란다. 강 너머, 혹
　　　　　　　은 숲 너머 적은 존재하지 않으며, 반짝
　　　　　　　반짝 빛나는 불빛은 몽환이 만들어내는
　　　　　　　전염병이란다.

달이 건너편 초소 쪽으로 빠지면

짐승은 복(復), 복, 복, 밤새 혼을 부르고

나는 성냥꽃을 씹어 거짓된 고요 속에 뱉는다.

매캐한 바람이 웃음소리를 내며 철조망을 따라 달리면
서 흰 돌을 빼고

인광으로 떠도는 또 다른 짐승이

임진강 물에 별빛을 풀어

휴전선에 뿌리고

보초병의 번득이는 총구는 안개 속을 헤맨다.

한 번도 발 디뎌본 적 없는 철조망 안

원시의 제전을 견디지 못한 김 상병은

또다시,

전쟁이나 터져버려라, 혼잣말을 뱉는다.

삼촌의 편지 3: 보초병에게는 눈으로 피가 몰리는 밤이
다. 네 눈을 조심해라. 지구에 존재하지
않는 몽환의 지표 위에 갇힐까 두렵다.
혼은 불을 부르고 쉰 목소리는 이리 뛰

고 저리 뛰지. 침묵은 가짜 어머니다. 어
디에도 맞지 않는 퍼즐 조각을 들고 당
황하지 마라. 그곳은 백일몽이다. 철조
망 건너에는 아무것도 존재하지 않으며
강 건너에도 존재란 없다.

휴전선에서는
밤마다 이름 모를 짐승들이 픽, 픽, 쓰러져
떠도는 불이 되어
임진강에 녹아 있는 슬픔을 태우고
입을 봉한 산들은 펄쩍펄쩍 뛰어다닌다.

제
2
부

강물에 써놓은 말들

어제는 당신의 편지를 찢어 강물에 띄웠어요. GS25에서 일을 마치고 한강대교로 갔어요. 반지하에서 새처럼 끙끙거리고 있을 어머니와 눈동자를 벽에 걸어두고 내 호주머니의 동전 소리를 종소리인 양 기다리고 있을 두 동생이 지겨워서 철교 위에 섰어요. 서울의 다리를 매일 밤 하나씩 건너지 않으면 집으로 돌아갈 수가 없거든요. 강에는 많은 얼굴들이 별처럼 속삭여요. 당신의 말마따나 별들이 교통사고로 강물에 떨어져 아우성을 치고 있나봐요. 언제쯤 나를 데리고 떠날 수 있나요.

당신은 내 꿈이 비에 젖지 않게 하라고 했지만 이미 모든 꿈들은 비에 젖어 눈을 뜨지 못하는데 제 꿈이 무슨 상관이에요. 나는 어둠 속에서 한강을 건너는 게 좋아요. GS25에서 제 눈은 물건들 사이로 도망만 다니거든요.

기도실에 가보라고 했지요. 기도실에 가면 내 신발이 내내 서서 기다리는 걸 볼 수가 없어요. 신발이 무슨 죄가 있나요. 기도실에서 나는 죽은 개구리처럼 꼼짝도 하지 않은 채 어둠이 돼요. 갯벌에 박힌 한 척의 폐선이죠. 제

배고픈 영혼에 어둠밖에 넣을 게 아무것도 없거든요. 신발이 밖에 서서 내내 기다리고 있어요. 신발은 죄가 없잖아요. 기도실에 가느니 차라리 국화 향기를 맡으러 장례식장에 가겠어요. 그곳에서 망자를 저승까지 데려다주는 곡두가 되고 싶어요.

내가 자살이라도 할까 봐 염려하지만 자살이란 시인들이나 가진 자들의 심심풀이잖아요. 나는 자살이라는 말을 들으면 여행지에서 잃어버린 칫솔이 생각나요. 거울 속에 묻어둔 내 얼굴을 모두 기억하고 있는 칫솔 말이에요. 언제 나를 데리고 떠나줄 건가요? 당신도 하나님처럼 준비된 자에게는 행운을 내리지 않나요? 수취인 불명의 편지처럼 나는 이 지상에 안주할 곳이 없어요. 내가 당신 품에 안겨 방음장치가 된 당신의 귀를 만지작거리며 나를 멀리 데려가달라고 했을 때

당신은 스물아홉이라는 나이 차를 말하지만 나는 낡은 사회과학 서적 같은 당신의 절망을 낳을 수 있어요. 가진 자들이나 권력자들의 생각은 모두 흉기라는 걸, 국회는

바보 같은 법률만 통과시킨다는 걸 알거든요. 그들의 머릿속은 끔찍하리만치 정확한 장부 같다는 것도, 아침마다 개구리들이 똑같은 소리를 낸다는 것도요.

　어제는 나를 위로하려는 당신의 편지를 찢어 강물에 띄우고 전철역으로 갔어요. 거기에서 누군가에게 거짓말을 하고 싶었거든요. 손바닥에 침을 뱉어 점을 쳐서 그쪽에 서 있는 사람에게 가서 거짓말을 하려 했지만 그곳에는 아무도 없었어요. 그래서 가로수에게 다가가 내 호주머니에는 종이 개구리가 살아, 라고 했더니 가로수는 내가 책에서 나온 사람인 양 픽, 웃는 거예요. 호주머니에 돈은 없고 휴지 조각만 있다는 걸 가로수는 알고 있었던 거예요. 속아주지 않는 가로수에게 화가 났지만 아침이 오기 전에 아무도 어둠을 걷어 내주지 않을 집으로 가야 했어요. 밝은 대낮에 펼쳐지는 사람들의 연극을 보고 싶지 않거든요. 당신은 내가 강물에 써놓은 말들을 물고기들에게 물어봐줄 거죠. 그리고 내 거짓말에 속아 넘어가줄 거죠?

천 개의 도시

누군가를 안고 싶지만 안을 수가 없어. 내 가슴뿐이야.

조각배처럼 떠다니는 도시에서 사람들은 쉽게 마술에 걸려 어딘가로 떠나고 있어.

간판이나 수도꼭지, 자동차들이 모두 전쟁을 하기 때문인가. 날마다 도시가 부서지는 것 같아.

내 그림자 때문에 자주 깜짝깜짝 놀라. 내가 떠도나 봐.

도시가 자꾸 얼굴을 바꾸잖아.

우연한 시간에 갇힌 거지. 이 도시를 떠나려면 찢어진 강을 깁고 바람을 조각배 삼아 영혼을 띄워 보내야 해.

나는 고립된 국가야. 촛불처럼 홀로 깜박거리지.

백지처럼 고요한 나의 창고에 가면 찢어지지 않는 하늘이 있을까.

구겨진 하늘에서는 심장이 콩닥콩닥, 우스꽝스런 소리를 내.

백지 속으로 들어가면 비를 만날 수 있을 거야. 나는 빗속에 소중한 것들을 넣어두거든.

음악 같은 거 말이야.

숲으로 가서 나무를 안고 싶어.
나무는 아직도 나를 기다리고 있을까?
개미들을 따라가면 숲이 있는 땅으로 갈 수 있을지 몰라.
벌레 소리조차 잘 가꿔지는 세상에서 길을 찾을 수 있
을까?
길에 흩뿌려진 죄에 걸려 넘어지지 않도록 해야 해.

피 묻은 회초리가 없는 세상이야.
비밀스런 손들이 전쟁을 하잖아.
마술에 걸린 도시에서는 우리 모두 피 맛을 본 장갑차
들이야!
돼지 창자 속 같아!
호주머니 속 핸드폰이 마구 숨을 헐떡이고 있어.
어서 숲으로 가서 나무를 안고 싶어!

죽음과 소녀
—소월의 손녀 김은숙 씨가 「초혼」에 대하여 말하다

우리 집안은 늘 유령의 냄새가 전염병처럼 번졌어요.
아버지는 할아버지의 시 때문이라고 했어요. 할아버지 시
에는 고구려 고분벽화 냄새가 나서 달처럼 둥둥 떠다녔
대요. 내가 '죽음과 소녀'의 카페에 자주 오는 것도 슈베
르트의 〈죽음과 소녀〉를 듣는 것도(사실 카페에는 슈베르트
의 〈마왕〉이 나오고 있었다.) 이렇게 술꾼이 된 것도 다 할아
버지 시 때문이에요. 아버지는 술만 드시면 할아버지의
시 「초혼」 중에서 딱 두 구절만을 큰 소리로 읊었어요.

산산이 부서진 이름이여!
부르다가 내가 죽을 이름이여!

지금 생각해보면
식민지 냄새 가득한 마을에서는 숨조차 쉬기 힘들어 날
마다 달나라로 떠나버린 마을 소녀들을 찾으러 간다고
할아버지는,
산으로 올라가서 내려오지 않았대요. 세상의 모든 이름

들이 떠나버린 마을에 달은 더 이상 떠오르지 않았는데
도 말이에요. 어쩌면 할아버지는 권태 가득한 마을의 눈
먼 집에 더 이상 박혀 있을 수 없었던 거죠. 달도 먼 과거
로 도망쳐버려 할아버지는 찢어지고 부스러지는 허공을
이빨로 꿰맸겠지요.

남루한 거리
공허한 말들만 난무하여
눈들도 서로 마주치지 않는 거리에서
달나라로 떠나버린 소녀들의 이름을 부르며
할아버지는 허공에 떠 있고 싶었겠지요.
(은숙 씨는 슈베르트의 〈마왕〉 속을 걷고 있었고 내 눈은 창문에
매달려 끔벅끔벅 은숙 씨의 마음속을 걷고 있었다.)

사랑하던 그 사람이여!
사랑하던 그 사람이여!

달과 해 사이 남루한 허공은 너무 넓었겠지요. 불행이 공포로 번진 마을에서 소녀들이 도망쳤으니 말이에요.

　낮의 슬픔을 흡수한 적막 속에서 환영처럼 떠다녔던 얼굴들이 종소리로 울었고 찢어진 허공으로 달은 더 이상 떠오르지 않아 고깔모자에 붉은 옷을 입고 산 위에서 춤을 추며 북을 두드렸대요.

　허공중에 헤어진 이름이여!
　불러도 주인 없는 이름이여!

　다시는 떠오르지 않는 달을 보며 이승과 저승의 경계를 이빨로 꿰맸을 것이고, 하늘에서는 세상의 끝을 알리는 북소리가 둥, 둥, 둥, 울었을 것이며, 창백한 얼굴들이 허공에 떠다녔겠지요.

　우리 집안은 시 때문에 저주를 받은 거예요.

내가 이렇게 떠돌이가 된 것도

서정주 시인이 준 세뱃돈을 남동생이 내동댕이친 것도

(은숙 씨는 마왕이 데려간 듯 탁자 위에 엎드려 숨조차 쉬지 않았
고 나는 담배만 뻐끔뻐끔 피워댔다. 카페 안에는 이제 주베의 〈슬픈
로라〉가 흐르고)

법주사의 밤

친구의 젯날
아직 앳된 부인을 따라간
겨울 산사

고양이가 운다.
아기 울음소리를 내며
운다. 한밤 내

한 고양이를 따라
또 한 고양이가 운다.
울음이 한밤을 적신다.

가로등 불빛에 밤이 뒤척인다.
고양이가 울리는 밤
밤이 끝도 없이 울음을 토한다.

밤이 밤으로 울고

밤이 밤을 만나서 울고
밤이 밤 속에서 운다.

밤이 고양이를 울린다.
고양이 울음 속으로
젖어드는 밤

고양이가 울리는 밤
깊어지는 울음
지상의 모든 잠들이 흔들리는

법주사
겨울 한밤

타르코다르*1

나는 우발적인 존재다. 바람의 중얼거림에서 태어났다.
유리창은 늘 과장되고
주정뱅이에게서 산 앵무새는 발기 촉진제를 먹으라며
내 아침을 망쳐놓는다.

—어이, 타르코! 어제 치킨집에 갔는데 닭날개가 세 개
더라고.
—코다르! 나는 다리가 세 개인 치킨을 먹고 꿈자리가
사나웠어.
—우리 겨드랑이에서 날개가 나는 게 아닐까?
—절름발이가 되겠지.

꿈을 안고 꾸벅거릴 때
아버지의 사진이 땀을 흘리고
오선지 위 어머니의 목소리가, 찌따찌따
옴마니밧메훔

─코다르! 어제 공동묘지 위로 비가 내렸어.

─어스름이 나선형이라서 그래.

─개가 막 도망치다가 갑자기 딱, 멈추더니 뒤돌아보는 거야.

─조심하라고. 악마도 성경을 인용한대**!

─갈고리 십자가가 나타났나 봐!

백성이 없는 왕의 나라에서는

물방울로 뜨개질한 옷을 입은 헤드뱅어가 떠돌아다니고

기계들의 소음 속에서

명령만 내리는 왕의 말을 듣는 이는 없다.

─코다르! 방금 뭐라고 했어?

─내가 한 말 아닌데…….

─방금 뭐라고 했잖아.

─살 떨리게 그러지 마. 그렇잖아도 먼 나라의 전쟁이 이리로 오고 있다고 하잖아.

우울증에 걸려 선글라스를 끼고
늘 분노에 차 있는 핸드폰을 매일 깨부순다.
한시도 애완견을 떼어놓지 못한 이가
숫자 계산에 골몰하는 나에게
언제 창녀촌에 갈 거냐고 묻는다.

—그만 징징대! 고독 때문에 징징대는 고흐처럼…….
남세스러워!
—사람들이 아무 데나 심어져 있어. 우리도 곧 저렇게
될 거야.
—제발, 타르코! 여기는 도서관이야.
—그런데 왜 이렇게 포르말린 냄새가 나는 거야?
—책 속에 있는 사상의 냄새야. 지독하지?
—짚으로 만든 인형도 참을 수 없을 거야.

망자들을 위로하는 스님들이

옴마니밧메훔

부록으로 가득 찬 세상에서

외로운 왕은 아직도 명령만 내린다.

---

* 타르코다르는 안드레이 타르코프스키와 장 뤽 고다르의 합성어이다. 따
라서 이 시 연작은 두 영화감독에게 바치는 오마주이다.
** 마태복음 4장 5~6절.

타르코다르 2

고양이는 밤새 내 불면을 도굴한다.
순례자들이 가득한 어느 전쟁터에서 죽은
내 얼굴을 한 고양이,
실종자들의 페이지를 뒤진다.

M 병원 109호실
─타르코, 내 얼굴을 찾아줘!
─코다르, 거울 속에 두고 왔잖아. 저어기, 간호사가 늘 보는 거울 있지, 거기 가봐! 너는 여기 올 때부터 얼굴이 없었다고!
─뭐라고? 우리 어머니, 아버지가 내 얼굴을 점지해줬는데 어느 놈이 내 얼굴을 훔쳐 갔단 말이야.
─아냐, 코다르! 너는 원래 얼굴 없이 태어났는지도 몰라.
─아냐, 네가 얼굴이 없어서 날 볼 수 없는 거지? 다른 사람에게 물어보면 금세 알 수 있어.
─뭐라고? 아냐! 아냐! 아니라고!

별이 모두 바람에 날아가버린 도시
접힌 시간 속에서
실종 신고서를 들고 내 불면을 헤집는 고양이는
변검처럼 얼굴을 바꿔가며 유령들 사이를 떠돈다.
이름도 없이 버려진 사람들의 도시
환멸의 도시에서
나는 얼굴을 바꿔 죽은 나를 찾아 배회한다.

#M 병원 109호실; 의사 A가 간호사 S와 함께 들어온다.
―(A가 차트를 보며) 타르코 씨! 제가 누군지 알겠어요?
저를 보세요!
―나 지금 자고 있습니다. 코다르, 네가 말해줘!
―(S가 거든다.) 일어나봐요, 타르코 씨!
―칫, 자기들도 유령이면서…….

고양이가 순례하는

포연이 아직 남은 도시
시체를 먹는 개들이 도마뱀처럼 눈을 씻는 도시에서
삶을 연습하는 사람들

—야, 타르코! 넌 얼굴을 어디에다 두고 왔냐?
—난 폭탄에 발목을 잃었을 뿐이야. 너와는 다르다고!
—바보! 우리는 얼굴을 너무 자주 바꿔서 저 사람들이
못 알아보는 거야. 그날 너와 나 사이에서 크레모아가 터
졌잖아.
—타르코, 나는 다음 세상에서는 종소리로 태어날 거야.
—너는 배우가 돼라! 넌 얼굴을 많이 가지고 싶잖아.

이발소 아저씨는 매일 결혼식을 올리고
미장원 여자는 청산가리를 허리춤에 쑤셔 넣고
아들을 잃은 아낙은 폭탄을 집어삼킨 채 배를 안고 뒹
굴고
살아남은 아이들은 시도 때도 없이 간질 발작을 일으키는

유령들이 떠도는 도시

고양이가 치는, 텅 빈 교회의 종소리 때문에
청각은 낭비되고
말수를 줄인 사람들은 불면을 하수구로 흘려보낸다.
나는 밤이 되기 전
몸이 뜨거운 종이에
오늘의 꿈을 써놓고 고양이의 도굴을 견딘다.

꿈속에서
돌은 입을 봉한 채 말을 뱉지 않고
악마가 문 뒤에서 지켜보고 있어서
아이들은 쉽게 어른이 된다.

M 병원 109호실
─타르코, 전쟁은 끝났을까? 빨리 내 얼굴을 주우러 가
야 할 텐데…….

—야, 코다르! 굶주린 개들이 그냥 지나칠 것 같아?

—아냐, 내 눈과 귀가 아직 나를 기다리고 있을 거야.
틀림없어!

—코다르! 눈과 귀는 절대 협력하는 법이 없어.

죽은 이들의 부탁을 적어

불면의 풍경 속에 기념비를 세운다.

아직도

쇠똥구리는 밤새

태양을 언덕 위로 밀어 올리고 있다고.

시인의 영토

한 시인이 죽었다. 일흔도 넘은 시가 죽었다. 어둠과 추위만이 찾아오는 이십만 원짜리 쪽방이 죽었다. 관념의 미로가 죽었다. 여기 무늬진 한 시인의 심장박동 몇 구절을 번역해본다.

나는 시 없는 시인이라네.
청탁을 받아본 적도 없고
시를 써본 적도 없는 시인이라네.

세상의 끝에 매달려 있는
로맹 가리의 카페에
뿌리를 내리고 허공에 낙서를 한다네.
아침이면
비애로 세수를 하고
짓밟힌 어둠을 친구 삼아
모든 양심들에게 전화를 한다네.

나는 노트 한 구석에서 떨고 있는 우울, 거울 속을 걷는
유령의 울음소리를 듣는다.

   아무도 나를 읽을 수 없다네.
   달로 이민을 가려고
   야곱의 사닥다리를 오르며
   죽은 자들과 친구 하고

   산 자가 그리우면
   산 너머
   떡갈나무에게 하소연하는
   나는 불운의 연습장
   고독의 전단지라네.

   그림자마저 벗어놓은 고독한 생이여, 나이가 많은 산에
게 물어보면 그림엽서 너머에 있다고 하고 찢어진 영혼
이 걸려 있는 고사목들에게 물어보면 "환상 속에는 바람

이 붑니다"* 노래한다.

  나의 시는 어둠을 아는 장님이 읽고
  절망 너머를 볼 줄 아는 자만이 읽는다네.
  지구가 도는 소리를 듣는
  나는 이 세상의 낙오자라네.

  한 외로움이 죽었다. 어느 시간 속에서도 찾을 수 없는
시가 죽었다. 나는 낯선 시간 속을 떠돌았다. 도시의 발바
리들이 설치는 거리, 우울이 드나드는 술집, 담쟁이가 지
나간 길

---

* 〈넬라 판타지아(Nella Fantasia)〉의 가사.

수다쟁이 햄릿

시 속의 녀석 때문에 속을 끓인다.
놈은 제멋대로 내 이름을 도용하고서
나쁜 짓이란 나쁜 짓은 다 하고 다닐 뿐만 아니라
제가 현실의 나인 척하는 것은 말할 것도 없고
먼 과거에 죽었던 나인 척하거나 내가 알고 지내는 사
람들인 척해서
낯을 들고 다닐 수가 없다.
녀석에게
얼굴이 무슨 야바위 카드인 줄 아느냐고 성을 내면
말 많은 아줌마 같아! 라거나, 수다쟁이 햄릿이야! 라고
나를 힐난한다.

내가 시를 돌아보지 못하고
생활에 골몰해 있으면 여닫이문을 슬그머니 열고 나가
서는
이 사람 저 사람과 사통하고 다녀서
놈이 내 행세를 하지 못하게 하려고

현실로 가는 문을 걸어 잠가버리겠다고 하면
　우울한 얼굴을 하고서는
　비 내리는 버스 정류장에서 우두커니 비를 맞으며 기다
리고 있던 일이며
　숲 속에서 혼자 거꾸로 매달려 있던 일
　무당집에서 열흘 동안 징만 쳐주었던 일들을 누가 했는
지 아느냐고 따진다.

　도저히 놈의 신세타령을 견디지 못하여
　시 밖으로 나오지 못하게 여닫이문을 걸어 잠그면
　놈은 비명을 토하기도 하고
　유령들을 불러내 곡을 뿌리기도 하다가
　죽은 비둘기 시체를 밀어 내놓기도 한다.

　나는 여닫이문을 두 겹 세 겹 걸어 잠그고는
　너는 존재하지 않아! 라고
　최후의 통첩처럼 선명한 도장을 박아놓는데, 녀석은

신파조의 발작을 누그러뜨리지 않다가
자살해버리겠다고 협박을 하며
두루마리 화장지로 목을 매느라 부스럭거리는 소리가
페이지마다 귀곡성으로 둥둥 떠다닌다.

네놈보다 먼저 태초에 말씀이 있었는지 모르느냐?
물거품처럼 나타났다 사라져버리는 존재가 얼마나 허
무한 줄 아느냐.
시인이란 말 속에서 태어나고 사라지는 뜬구름 같은 존
재야.
너는 존재하지 않아.
너는 말 속의 꼭두각시인 줄 아느냐?
밀렵꾼 같은 놈!
유행성감기처럼 나타나서 주인 행세를 하다니
백만 년도 넘게 산 내 속에서 네가 태어났는데 나를 가
둬놓는다고?
말의 증식으로 나타났다 사라지는

시인이란 말의 물거품 같은 것!
단말마보다 보잘것없는
너라는 존재가 정말로 있다고 생각하느냐?

녀석 때문에 나는 하루에 두 번씩 체온을 잰다.
침묵 속에 묻어둔 녀석이 불장난처럼 일어나
생의 페이지를 넘길 수가 없어
닭 뼈로 점을 치며
놈을 죽일 계책을 세우느라 골머리를 앓는다.

몽유병자

마구 팽창하는 밤
세상의 모든 영혼들과 악수하기 좋은 밤
정적이 수북하게 쌓인 곳으로 가
미완성인 채로 떠도는 목소리를 묻어준다.

─왜 그렇게 헛구역질을 하고 그래?
─사냥꾼들에게 쫓겨서 그래. 유령 냄새를 안 풍기려고 담배 연기를 가득 빨아들이고 숨을 참았거든.
─그만 좀 해! 필시 몽유병자들일 거야. 목을 뺐다 넣었다 해봐, 아니면 시곗바늘을 마구 돌려. 그러면 제아무리 간 큰 놈도 도망치고 말걸. 바보! 천하의 만신도 우리를 보지는 못한다고. 우리처럼 한 많은 영혼은 보지 못해.

─A 마을 점령 작전에서 개를 총살시켰던 기억이 난단말이야. 바보 같은 개새끼! 사람들이 모두 비워버린 마을에서 잔뜩 긴장해서 총을 겨누고 있는데 갑자기 나타나 얼떨결에 쏴버렸거든.

—우리는 불륜의 시대에 태어나 너무 일찍 죽은 거야.
사람들이 묻어놓은 기도문이나 읽어.
　—제 명에 죽지 못한 개가 나를 쫓고 있을 거야. 바람이
싫어. 바람이 일면 산 자들이 코를 킁킁거리잖아.
　—난 눈을 가진 동물이 싫어.
　—난 손을 가진 동물이 싫어. 그 손바닥에 비밀스런 지
도가 있어.

　조그만 상처에도 피를 흘리는
　나는 한 마리 짐승
　실격한 영혼을 부여안고
　나무로 만든 새를 찾아 숲으로 간다.

　—다, 다, 다, 다!
　—그만해! 처키*의 웃음소리 같아.
　—고향에 갈 수만 있다면……. 강물을 건너기만 하면
된다는데…….

―야, 포기해! 신의 칼날 위에 올라설 수 있겠어?

―종이배에 붉은 깃발을 달고 가고 싶어. 새들이 약탈
해 가겠지? 고향, 어머니가 있는 고향에 가고 싶어.

―포기해! 바람은 모두 호수에서 자살해버렸어.

―다, 다, 다, 다!

―시끄러! 베토벤이 돌 굴리는 소리 내지 마.

나는 종이 얼굴을 하고 체머리를 흔들며

도망친 소처럼

유령의 성채로 가서

오래된 돌이 말하는 소리를 엿듣다가

돌아오는 길을 잃는다.

─────────

* 영화 〈사탄의 인형〉의 주인공.

침묵

　너의 어깨 너머에는 나의 과거가 있어. 후회와 거래한 나의 과거가, 미소의 카탈로그를 나열하고 있어. 나의 철사 같은 웃음 속에 묻은 침묵의 페이지를, 네가 읽지 못하도록, 나는, 푸른 권태와 노란 권태 사이, 비무장지대에서 얼굴을 꺼버리려 하지만, 증오의 손이 침묵의 페이지 밖으로, 뛰쳐나오는 걸, 보는 이가 있어. 나의 손에는, 외로움이 진열되어 있거든. 나의 질병인 불안이, 잠든 너의 어깨 너머, 어스름의 이끼 가득한 너의 어깨 너머, 비무장지대에서는, 노랑 도깨비 파랑 도깨비, 자본주의가 망하기 전에는, 절대로 서정시를 쓰지 않겠다는, 너의 시가 울고 있어. 후회와 거래를 하고 있어. 손수건이 품위를 잃을 것만 같아. 나의 기도를 묻은, 너의 어깨 너머에서, 젖은 시간이 흘러내려.

피튜니아

외래종 식물이 점령해버린
서울에서는
쉽게 미로에 갇힌다. 나는
발기부전에 시달리거나 알코올중독에 빠지다가
포르노에 눈을 박는다.
하나님조차 대낮부터 술에 취해 햇빛과 비를 팔러 다니는
과장된 도시
머릿속에서 태어난 애완용 아이들의 은어가 뛰노는
광화문 계곡에서는
온갖 예언과 미신이 떠돌아다니고
유령들의 이념 논쟁이 끊이지 않아
고장 난 시계를 깨워 당직을 서게 한 후
소설 속 인물들이 행불자로 떠도는 물구나무 선 거리에서
나는 위장 전입한 사람처럼
벤치의 명상에 빠지다가
열기를 털어내려고 뒤척이는 바람의 손가락들이 귀찮아
빈혈증이 가득한 골목으로 들어선다.

거짓말을 닮은 침묵이
유리 조각 냄새를 풍기는 골목에는
조문객의 얼굴을 한 종소리가 젖은 그림자를 끌고 와
내 텅 빈 눈에 불안을 진열한다.
현기증 속으로 애완용 아이들의
은어가 푸드득
망명 정부의 깃발이 만개한다.

굿모닝 충무로

한일합방 100년 8월 22일 시간을 추적하다
윗사람들의 거짓말을 닮아 햇빛과 빗방울이 내 머리 위
에서 난투극을 벌이고 있는 옛 통감부와 헌병대 사이 통
감의 관저 쪽으로 얼리버드가 날아간다. 캐주얼한 시간
속에서 산은 참, 푸르기만 한데 비 맞은 낮도깨비들!

나는 먼 왕조의 위장 간첩
내 안에 역사가 넘쳐
질질 끌고 다니는 기억들 때문에
두 귀는 서로 다른 소리를 듣고
머릿속에서는 풀이 자란다.

한일합방 100년 8월 29일 얼리버드가 가득한 세상에서
철새를 따라다니는 시간은 죽어가다
티브이에서는 장관 후보자와 국회의원들 사이에 삿대
질이 오가고 비가 오는 거리로만 다니다 보니 옛 통감부
관저 오백 년이나 된 은행나무와 느티나무 사이에서 오

도 가도 못한다.

윗사람들이 막장 극을 펼치는 거리에서
이 시대의 여권을 잃어버린
나는 위장 전입자
시간을 몰고 다니는 철새를 따라
바람의 전용 통로로만 다니지만
뼈다귀는 쉬 정리되지 않는다.

한일합방 100년 8월 23일 비는 아직도 우리에게서 떠나지 못하고 산은 파란 피로 가득하다
쇤베르크의 〈바르샤바의 생존자〉를 들으며 빗속을 걸어 다니는 회색 건물들에서 소매치기들끼리 남의 호주머니를 거래하고, 빅브라더들이 역사가 어떤 병명으로 죽을 것인가를 지켜보며 떠들고 있다. 낮도깨비, 낮도깨비, 죄수만을 찍어내는 낮도깨비들!

부비트랩이 널려 있는 세상에서
불행은 전염되고
예언자의 모순된 말을 알아들을 수 없으니
나는 다시 먼 왕조로 돌아가야 하는가.

여름 가족

　사물 A는 아버지 흉내를 낸다. 분명 이 빠진 사기그릇인데 사물 A는 아버지인 척 헛기침을 하며 사물 B를 연주한다. 그러면 찌그러진 양재기인 사물 B는 내 어머니인 듯 사물 A에 맞춰 우는 소리를 낸다. 새벽 기침처럼 울리는 곡조에 맞춰 돌연 사물 C가 된 내가 참회를 닮은 자조를 뱉으면 길어진 아침의 혈관으로 빗물이 스며든다. 낯선 계절에 갇힌 아침, 칙칙한 초록의 나라, 함석지붕으로 비가 불협화음을 뿌리고, 무채색의 여름 속으로 뛰어 들어간 사물 C는 파랗게 질린다.

그리고 아무도 오지 않았다

오바마 1년 혹은 이명박 2년 11월 9일

자리의 「위뷔 왕」을 읽었다. 거리에는 마스크만이 흩날렸다. 깜짝새를 찾아 사람들은 도시를 비웠다. 종각을 지나는데 외로움이 나를 쳐다본다. 길에 뱉은 침이 다이아몬드처럼 빛난다. 이혼한 여동생의 생활이 늘 걱정이다.

철학적인 쥐에게 시달린
손은 정신을 차려야 한다.
나는 호주머니에 돌멩이를 넣고 다니다
갈 곳을 잃어
마스크 쓴 환전상에게 묻는다.
돌멩이도 바꿔주나요.

오바마 1년 혹은 이명박 2년 11월 11일

신종플루는 더욱더 기승을 부렸다. 인터넷에서 제 머리에 총을 겨누는 소년을 보고 난 후 나는 감기에 걸리기 위해 한강으로 갔다. 강물에 비명이 출렁인다. 심장이 저 홀로 떨었다. 여동생이 이혼하고 어머니의 집으로 다시는 돌아가지 않겠다고 한 말이 떠오르자 폐허에 묻힌 왕의 고독이 밀려온다.

백지 위를 걷는다.
철학적인 쥐가 내 사념을 갉아먹어
무수한 손이
내 마음을 뒤진다.

오바마 1년 혹은 이명박 2년 11월 12일
오늘은 수능이 있는 날이다. 아직 여섯 시도 되지 않았는데 부엌에서 간밤의 몽환이 일어나 딸그락거린다. 하루치의 바람이다. 전화기에서 파란 강물이 흘러나온다. 거울 속에 묻어둔 비명이리라. 시골 여인숙 문짝 같은. 이오네스코의 「왕은 죽어가다」를 몇 줄 읽다가 던져버렸다. 나는 이미 죽은 왕이니까. 밤사이 창문 가까이까지 걸어온 마스크 쓴 산이 되돌아가느라 고양이 울음소리를 낸다.

내 안에는 악기가 너무 많아
불협화음이 가득하여
귀와 눈이 정신을 잃는다.
그러면
어머니의 기침까지도
내 새벽으로 와 함께 눕는다.

오바마 1년 혹은 이명박 2년 11월 15일

춥다. 바람도 많이 분다. 제7의 바람*인가. 세상은 참, 수상쩍다. 손가락이 감기에 걸렸다. 담배도 감기에 걸렸고, 하나님도 마스크를 쓰고 있다. 교회는 바람보다 늦게 일어난다. 거리를 비워버린 사람들 대신 그림자들이 무리지어 다닌다. 모두 카불로 전쟁하러 갔나. 자동차들의 무덤은 늘어만 가고 영혼을 담을 상자는 보이지 않는다. 아프간의 산에 소나무 한 그루 심고 싶다. 육법전서는 꽃에게 형벌을 내렸다.

아그리파, 아그리파,
내 입속이 너무 캄캄해
돌 속에 묻힌 왕의 고독을 깨워줘.
철학적인 쥐가 나타나기 전에

---

* 요한계시록에 나오는 세상의 종말을 뜻하는 제7의 봉인에서 가져옴.

茶山은 왜 요한을 배반했을까

　다산은 왜 신을 배반했을까. 다산초당을 다녀온 후 이 생각이 내 영혼의 영토를 점령했다. 밥을 먹으려면 식칼 냄새가 나고 화장실에 가면 '남자가 흘리지 말아야 할 것은 눈물만이 아니다'라고 씌어 있어 뒤처리도 제대로 하지 못하고 쫓기듯 나온다.

　다산, 아니 요한은 왜 유배지에서라도 다시 신을 찾지 않았을까. 바람이 몇 장의 하늘을 걷어낸 계절 속으로 들어가보면 달이 도는 소리인지 지구가 도는 소리인지 시간의 소음이 요란하다.

　요한, 아니 다산이 신을 배반한 영혼의 길은 곡선일까 직선일까. 다산의 자취를 따라가면 견고한 성도 있고 초막도 있고 절도 있고 성당도 있는데 다산이 신을 배반한 영혼의 길은 보이지 않는다.

　오늘은 꼭 밥 한 그릇 다 비우고 말리라. 낙원동 악기

98

상가 아래 홍명희의 '화요회' 터에서 떠돌고 있는데 배고
픈 간판들이 우두커니를 내려다본다. 머릿속에는 세상에
서 버려진 것들로 가득하고 거울을 보면 비애로 화장을
한 낯선 얼굴이 빤히 쳐다본다.

　허공은 점점 짙게 색칠되는데 인사동과 낙원동 어름에
서 불이 켜진 식당은 보이지 않는다. 배고픔을 달랠 곳을
찾지 못한 채 걷고 걷다가 길을 잃고 먼 곳을 바라보니 저
만치 어둠 속 다산의 뒷모습이 어렴풋하다.

눈의 변주곡

강둑이나 철둑에서 주인을 기다리는 한 마리의 신발처럼 뭘 그렇게 기다리는 거야?

계속 기다리기만 하면 수수께끼가 돼.

모두들 신의 자비를 훔쳐 가려고만 하지 신과 화해하려고들 하지 않잖아.

아무도 죽음을 곁에 두고 살지 않아서 그래.

이 세상엔 사랑하는 데 필요한 약점이 없는 사람들뿐이야. 멋쟁이 따위는 얼마든지 회사에서 찍어낼 수 있다고.

사랑 사랑하지 마. 사랑을 알면 불행해진단 말이야. 잠자리에서 땀을 흘린다고.

온통 돈과 법률만 떠돌아다니는 세상에서 기다릴 게 뭐가 있다고 그래.

돌멩이도 저 변두리에서 웅크린 채 아직 기다리고 있어. 가난한 사람들의 그림자처럼 말이야.

얼굴에 불행을 광고하고 다녀서일까.

겨우내 나무들도 기다리고 있다고.

그렇게 뜨개바늘처럼 중얼거리니까 봄은 오지 않는 거야.

내가 봄을 기다린다고 했어? 근데 난 뭘 기다리지?

추위에 책을 너무 많이 뜯어 먹었구나. 잘못하면 환각에 빠질지 몰라.

네거리 주막처럼 마음을 활짝 열어놓으면 뭔가를 기다리지 않아도 될까?

그러면 욕망을 지치게 해야 해.

가진 자들은 우리들이 추위에 떠는 동안 우리의 돈을 뺏을 궁리만 할걸.

돈은 어차피 손가락 사이로 빠져나가.

나귀도 알아듣는 은밀한 말을 사람들은 왜 알아듣지 못할까.

내 그림자도 돈을 갖고 튀어버리는 세상이야.

몸에 이를 키우고 싶어.

사람들은 어딘가로 떠나거나 돌아오고 있다고.

암소처럼 꽃을 좋아했다면 봄은 절대 도망 다니지 않을 텐데.

달에도 눈이 내리고 있나 봐. 핏기가 하나도 없어.

에베소서에서처럼 삼백 년 동안 잠이나 잤으면…….

그러면 꿈이 우리를 속일걸.

맞아. 광기가 우리 몰래 돌아다닐 거야. 하지만 권태는 무서운 질병이라고.

새들은 우리들이 사랑하는 걸 방해하지 않을 거야. 신에게 봄을 물어보면 어떨까?

신은 자꾸 싸움만 붙이잖아. 차라리 잠자고 있는 물을 깨우는 게 나아.

맹인이었으면 오랫동안 기다릴 수 있을 텐데. 우리 가슴을 묶어둘 수 있잖아.

우리는 우리 자신의 원수여서 안 돼.

어딘가에서 젖은 개 냄새가 나.

찻잔이 한 송이 꽃처럼 피어나려고 해.

열쇠 수리공에게 부탁해보자. 봄을 열어줄지도 몰라. 아니면 바람에게 우표를 붙여주면 남쪽에 있는 봄이 우체통에서 쏟아질 거야.

너무 기다리면 입에서 썩은 내가 나.

내 정신은 백지야. 나는 봄을 기다린 적 없어.

그럼 눈 쌓인 산처럼 벙어리가 될걸.

어제는 하루 종일 비가 내렸어.

그래서 땅바닥에 고뇌의 뼈들이 떠돌아다녔구나.

욕망을 지치게 하면 봄이 올 거야.

삼종기도를 올려보면 어떨까.

그러지 마. 무서운 과거가 깨어날 거야. 과거는 절대 우리를 잊지 않고 있다고.

들썩이는 철로 아래서 잠을 자두자.

그러면 잠 속으로 올까?

철새가 되어 날아가버리지 않도록 조심해.

제발 찻잔이 꽃처럼 피어나지 않게 해줘.

생각의 뼈를 부러뜨리고 가난한 사람들의 이야기를 들어주자.

…….

…….

프리지어,

프리지어,

나의 난로가 되어줘!

권태

    생각의 뼈다귀를 쌓는 밤. 책이 한 관념론자를 편다. 어머니의 치매가 와 있다. 기억의 밑바닥이 수런거린다. 목구멍에서 침을 핥는 어머니. 방부 처리된 기억의 저편에서 온 어머니, 파랗다. 파란 어머니는 책을 기절시킨다. 관념으로 그을린 밤. 페이지 속으로 들어온 관념론자가 절뚝인다. 책 속에 치매를 쌓는 밤. 관념론자가 어머니의 치매 속에다 글을 쓴다. 치매에 걸린 책. 초침 위에 권태를 쌓는 관념론자의 밤. 파란 밤. 어머니가 목구멍에서 마지막 침을 핥는 밤. 적막이 그을린다.

제
3
부

슬픈 피에로

이명박 3년 1월 13일 오전 10시 매섭게 춥다

비열한 냄새에 집을 나선다. 거리에는 사팔뜨기 시선들이 자욱하다. 요즘 아이들은 태어나자마자 늙는다. 돈을 너무 밝히기 때문이다.

나는 방광이 부풀어 오른 사람처럼 종종거리며 늙은이들 사이를 걷는다.

글을 배우지 못한 개가 길 위에서 방황하는 나를 쫓는다.

나는 화장실로 가서 손수건으로 얼굴을 닦는다. 기침이 섞인 미소가 번진다.

손수건아, 미안하다!

밖으로 나오니 개는

아직 나를 기다리고 있다. 식빵으로 새를 만들어 개에게 던져준다.

이명박 3년 1월 13일 오전 11시 추위에 발가락이 흩어질 것 같다

사람들이 설문지로 앉아 있는 지하철을 타고 광화문에서 내린다. 설문지에 한마디도 답할 수가 없으므로

가슴에서 울리는 고행의 북소리를 들으며 계단을 올라가는데

개가 앞서 걷는다.

슬픈 피에로!

너는 어느 시인의 사생아다.

정신을 잃고 호주머니에서 권총을 꺼내 개를 향해 쏜다. 총알은 빗나가 광화문의 세종대왕에게 박힌다. 골목마다 스틸 사진을 박는 눈송이가 터진다. 나는 해진 신발을 미국 대사관 뒤뜰에 묻고 도망친다.

이명박 3년 1월 13일 오후 3시 경찰서 안은 따뜻하다

경찰과 나는 러시안룰렛 게임을 한다. 나는 사라진 개를 지목하고 경찰은 세종대왕을 쐈다는 걸 발설하지 말라는 각서를 강요한다.

내 목소리는 나오자마자 죽어버렸는데
내 그림자가 경찰서 이곳저곳을 다니며 지문을 찍고 있다.
떠밀리다시피 경찰서를 나와
손수건으로 얼굴을 바꾸고 광화문으로 가니
아무렇지도 않은 근엄함이 높다랗게 솟아 있어
도망치듯 광화문역으로 내려가는데 계단에 개가 죽어
있다.
미안하다, 개새끼야!

태풍

한 소년이 술병을 들고 달려가다가
술을 한 방울 흘렸다.
한 방울의 술에
고요를 벗어버린 대지는
키득거리다가
몸을 흔들다가
횡설수설
소년의 술병을 탐냈다.
소년은 움켜쥔 술병을 품속으로 끌어안으며
"안 돼요. 우리 아버지의 친구인 철학자를 내어줄 수 없
어요."
대지는 소년의 어리석음을 탓하며 망각의 목소리로
"나는 네 아버지를 기다리는
죽음의 집
한 방울의 기쁨을 준다면
네 아버지를 네 곁에 오래 남겨두겠다."
소년은 술병을 더 꼬옥 끌어안으며

"당신의 이름은 무엇인가요?

아버지의 친구인가요?

아버지에게 뭐라고 말하죠?"

"나는 네 아버지의 오랜 친구

네 아버지는 나의 정령!"

소년은 더욱 손에 힘을 주어 술병을 끌어안고

뒷걸음질하다가

결국 대지의 뼈다귀에 걸려 넘어지고 만다.

술은 쏟아지고

대지는 팔을 흔들며

큰 소리로 노래를 불러댄다.

소년은 조금 남은

술병을 안고

"안 돼요, 안 돼요, 더 이상은 안 돼요!"하며

집으로 달리고 달렸다.

세상을 뒤집는 무서운 폭풍에도

쉬지 않고 달렸다.

눈 오는 밤

밤이 늦어서야 돌아오는
흰 소가 끄는 수레

어둠이 찰랑거리는
수수께끼의 고요

밤의 오선지 위
흰 소의 발자국

뛰노는 말들
흰 소의 말들

불빛, 가물거리는
잊었던 말들

방죽, 별자리, 수탉의 잔소리, 달의 빈정거림
새처럼 날지 못하는 말들

한밤의

흰 방울 소리

브레히트를 읽는다

자유야, 너는 얼마짜리냐.
평등아, 네 스펙은 무엇이냐.
진보와 보수의 장사치들 사이에서
죽어가는

자유야, 미안하다.
평등아, 나는 거짓말쟁이다.

시장통에 빠진
이 시대에
나는 한 번도
부자들을 증오한다고 말해본 적이 없다.

가난한 사람들의 지옥에 사는
평등아,
부자의 하수인들이 설치는 거리에 사는
자유야,

나는 가진 자들과 공범이다.

바람둥이 플로베르보다 못하고
아편쟁이 콜리지보다 못한
나는
도둑고양이처럼
염치도 없이
브레히트만 열한 번째 읽고 있다.

떡갈나무의 나라는 어디쯤 있을까

나는 사냥감
내 폐 속으로 들락거리는
사냥꾼들을 피해
불행을 옷걸이에 걸어두고 독신자인 척 살아간다.

가진 자들과 화해하려 해도
여우의 말을 두루미의 언어로 번역할 수 없어
잔돈처럼 이곳저곳을 기웃거리고
가택 수색을 당한 내 머릿속은
늘 빈곤한 나라
저녁 어스름이 비웃듯 내 가슴을 들여다보지만
빈 개집처럼 텅 빈 울음만 가득하다.

사냥꾼들 몰래
낮에서 밤으로 밤에서 낮으로
소설을 읽듯 건너뛰지만
심장에서는 브레이크 밟는 소리가 끊이지 않고

갈 곳 없는 도깨비들이 들끓어
심장에서는 구겨지는 종이 울음이 낭자하다.

광문 화상은 三更月夜入無我*라고 했지만
正心은 담배 연기로 날려 보낸 지 오래고
세상이 한쪽으로 쏠려
몇 그램의 철학조차 없는
상표 붙은 얼굴들만이 나를 빤히 들여다보아
숨을 곳은 도대체 없고
자살은 신고제나 허가제가 아니어서
마침표에 도달할 수가 없다.

머릿속 자물쇠를 풀고
순결한 언어를 찾아봐도
변명할 적당한 단어는 찾을 수 없고
나를 읽어줄 니고데모**조차 없다.

바람의 책장을 넘겨

또 하나의 나라를 찾지만

불귀순 지역

선량하고 죄 없는 어둠이여!

나는 깨닫지 않도록 조심했어야 했다.

---

* 중국 광문 화상의 「해골기행」의 한 구절로 '한밤중의 달 아래 무심의 경
지에 들어가다'라는 뜻.
** 요한복음에 나오는 인물로 예수를 알아봤다.

목련

  세밑이었어요. 杜甫는 今夕行. 집으로 가는 길은 멀게만 느껴졌어요. 종묘 앞을 지나가고 있었어요. "자고 가요!"할머니였어요. 어둠이 휩쓸어가고 있는 거리는 몽상으로 얼룩졌어요. "자고 가요!" 나는 뒤를 돌아보지 말라는 신의 말씀 때문에 종종걸음을 치며 안절부절 못했어요. 불량배들의 놀이터인 도시 서울에서는 길을 잃어야 제대로 산다고 했던가요. 今夕行! 세상의 표지는 너무 우울했어요. 불행한 사람이 세상을 구한다고 했던가요. "자고 가요!" 신의 말씀을 어기고 뒤돌아보니 저 멀리 목련의 눈이 흔들리고 있었어요. 라 캄파넬라!

버스 정류장

버스 정류장에 앉아 루쉰을 읽는다.
어두운 상점들이 가을 한복판으로 머리를 들이밀자
가을이 앓는 소리를 낸다.
건너편 파리바게트가 휘청한다.
국수집이 끙끙거리고
플라타너스가 엉금엉금 걷는다.

기다리는 버스는 오지 않고
나는 루쉰 속을 헤맨다.
저 멀리
빌딩 꼭대기에선 북풍이 깃발을 꽂고
가을을 털어낸다.

상점들은 하나둘 불을 꺼버리고
행선지를 알 수 없는
가을 몇 장
빨간 클랙슨을 떨어뜨리며 날아간다.

가을 한복판
아직도 버스는 오지 않고
루쉰은 내 안을 내내 떠돈다.

외눈박이 거인의 나라

생각이 죄가 되는 시대
나는 어둠과 말다툼을 한다.

약속이 많은 밤
사형 집행당한 영혼들이
병에 걸린 허수아비처럼 중얼거릴 때
나는 은밀한 슬픔을 안고 있다가
폐위된 왕인 양
비밀을 털리고 만다.

왜 진통제를 주지 않는 거야! 내 사색의 황색 점멸등이 중얼거리고
있단 말이야. 약속을 잊은 개의 처참한 얼굴을 뜯어 먹지 말았어야 했
어. 도망가면 용의자야.

강물과 공기까지도 부자들에게 팔린 도시에서
무기라고는 소리치지 못하는 두 눈밖에 없어
소독기 가득한 거리에서
황색 점멸등에 쫓겨
한강에서 자살한 돌멩이들을 건져 올린다.

슬픈 돌멩이들!

왜 아직 진통제를 주지 않는 거야! 아무도 고행을 하지 않으려는 도시에서 나무들만이 고행을 하고 있어. 혁명을 불러오는 슬픔까지도 부자들에게 모두 팔아버렸거든. 그래서 사람들의 눈이 텅 빈 거야.

부자들은 날마다 서울을 디자인하는데

달러와 위엔 사이에서

점심을 굶고 다니는

가난한 사람들의 이름 위에 자라도록

풀밭을 만들어주면

세상을 열 수 있는 비밀번호를 알 수 있을까.

상처 입은 바람의 운명교향곡을 들으며

어둠과 말다툼을 하는 나는

폐병 환자처럼 생각이 너무 많나 보다.

왜 진통제를 주지 않는 거야. 아! 내 머리는 불행의 창고야. 하나님이 육 일 만에 세상을 만들었으니 온통 뒤죽박죽이 된 거지. 시간이 얼마 남지 않은 것 같아. 때 묻지 않은 초원을 찾고 싶어.

나사로의 언덕

나를 자꾸 추하게 하는 것은 희망이다.

망령들 위에 세운 자본의 도시여!

묘비처럼 우뚝우뚝 솟은 빌딩이여!

나는 기도하는 손을 갖고 싶다.

약이 없으면 견딜 수가 없어요. 세상은 항상 알약처럼 뱅뱅 돌아요. 아버지를 따라간 유곽에서 관음보살의 손을 본 뒤부터예요. 창녀의 하얀 손이 아버지를 만지고 있었어요. 나는 그 여자의 손을 보지 않으려고 고개를 돌렸는데 그때, 홀 한쪽에서 본 관음보살의 손, 손들

이 세상에 살아가기에는 수업료가 너무 많이 들어

처참한 개의 얼굴을 하고

내 영혼을 버릴 만한 곳을 찾아 헤매다가 들어간 교회에서

기도하는 손이 되고 싶지만

교회에는 애완용 신밖에 없다.

나는 아버지의 창녀를 사랑했어요. 나에게 한 번도 잔소리를 뱉은 적 없는 아버지의 여자. 여자의 손은 무척 따뜻했어요.

옷에 묻은 슬픔을 털어내고 머릿속에 박힌 철학을 긁어
내어

침묵의 시간 속에 묻는다.

뒤틀린 시간 속

흠 없는 사람들이 무언극을 멈추지 않아

나는 이 지상에 무단 투기된 것 같다.

새벽이면 불뚝불뚝 성질을 부리는 사내가 되고 나서는 영화관 매표
소 앞에서 담배를 피우며 포스터 속을 헤매었어요. 왜 아버지의 삐걱거
리는 의자가 걱정스러웠는지 알고 싶었어요.

청순한 하늘은 혼절하고 순결한 바람은 찢기고 강은 이
야기를 잃었으며

새들이 알을 품는 곳에는 뱀이 있다.

어디로 갈 것인가.

눈에 이파리를 달고 기름진 고독 속 니체의 들판으로
간다.

한 번도 지배당한 적 없는 희망이 또다시 나를 추하게
만든다.

아버지가 죽고 나서 나는 세상에 홀로 남았어요. 나는 아버지 대신에 그 여자를 찾아야 한다는 강박관념에서 벗어나지 못했어요. 그때부터 유곽을 전전했어요.

잔인한 고요 속에서

길 고양이에게 손톱을 잘라 먹이고

아끼던 책으로 배를 채우고

세상의 모든 이름과 함께 내 자신의 이름을 버린다.

하지만 죽음의 냄새 지독한 여자를 안는 것처럼

나는 떠도는 차가운 한 권의 책에 불과하다.

약이 없으면 견딜 수가 없어요. 세상은 알약처럼 뱅뱅 돌아요. 죽어버린 사상처럼 차가워진 여자를 내 손으로 염했어요. 나는 그 여자의 시체를 팔았어요.

나보다 먼저

니체의 들판을 떠도는 개에게 노크를 한다.

잡동사니처럼 시끄러운 개의 얼굴이여!

환영이 가득한 눈이여!

나는 아직도

기도하는 손을 갖고 싶다.

여자에 대한 그리움은 멈추지 않았어요. 아무리 많은 여자를 껴안아
도 그리움은 시처럼 펄럭였어요. 그럴수록 약은 점점 늘어가고

이런 생각을 버리지 못하고 있을 때

호주머니 속에서 크는 양 한 마리

동정을 버리기 위해 유곽을 찾아다니던 때 만난

그 양 한 마리

전염병에 걸린 자처럼 무방비 상태에 빠져 만행을 하고 노숙을 하
고……. 뒤틀린 시간 속에서 묵언으로 떠돌다가 만난 상징 하나. 아! 익
명의 밤이여!

나는 간질 환자처럼 신을 알기 위해서 몸부림친다.

이 지상에 길들여지지 않는 신

나사로가 만난 신, 혹은 부처가 마신 우유

체 게바라의 마지막 식사

지혜를 버리기 위해

고양이 눈처럼 들판에서 불타고 있으면

유산하는 희망들

깨어 있으라, 절망아!

불평이 많은 문이여, 소리쳐라!

헌금함 같은 원리주의자들이 신을 애완용으로 길들이
기 전에

양철 지붕의 재잘거림

나는 난민

자본의 도시 곳곳을 떠돌아다니는

전쟁의 난민

골목마다 유령들이 튀어나오고

가둬두지 못한 눈물이

가슴으로 무릎으로 내린다.

잠시만이라도 내가 되어줘. 나는 인형처럼 망가지기 쉽단 말이야. 돼
지처럼 꽥꽥대봐. 아니면 옛날 사람들처럼 비둘기를 날려 보내봐. 먼
과거에서 소식이 올지도 모르잖아. 눈물을 가둬둘 수가 없어.

어둠이 무릎까지 차오르면

죄 많은 창문 사이로 새어 나오는 시선을 피해

전쟁을 기록하는 바람이라도 되는 양

세상의 가장자리로 가서

폐에 가득한 어둠에 촛불을 켜고 내 자신을 정화한다.

나불나불. 나불대지 좀 마. 어차피 네가 잃은 건 네 자신뿐이야. 모래
도 그렇게 떠들어대지는 않아. 헐떡이는 가로수 같아.

131

잡동사니로 가득한 파우스트의 연구실처럼

환영들이 떠도는 도시에서

귀로 흘러 들어오는 죽은 자들의 목소리에

헝클어진 눈빛들 사이로 거리에 묻힌 목소리들이 깨어

날 때

내 영혼의 깨진 유리창에 아카징키*를 바르며

나는 지나가는 개와 말다툼을 한다.

그만 좀 나불대. 시차 적응이 안 돼. 유클리드 평행선은 꺼지라고 해.
철로는 먼 과거로 가는 음악만 연주한다고. 빛과 어둠은 회전해서 하나
가 돼. 아무 데나 돌아다니는 농담을 갖고 초혼제를 지내지 마. 몸을 잃
어버린 유령은 부를 수 없어.

평생 도망만 다녀

이제 더 이상 갈 곳도 없는

나는 난민

아니면 여분의 존재

빗방울이 얼굴에 떨어지기만 해도 소스라치게 놀라

숨을 곳을 찾다가

개의 재채기에 또 한 번 놀란다.

나불나불 나불나불. 주둥이가 까만 늙은이가 입만 살아 가지고. 고양이들이 담장 위로만 다니는 이유는 전쟁과 평화 사이에 있는 장례식 놀이를 하기 위해서야. 세상의 가장자리에는 전쟁뿐이거든. 용산과 평택처럼 서울은 세상의 끝이야.

나는 시간 밖의 난민

우수가 깃든 어둠 속에서

피가 통하지 않는 石人에게 말을 건네면

땀이 몸을 두드린다.

바람아, 날 만져봐. 나 아직 살아 있는 거지?

시간은 냉동되었어. 과거는 돌 속에만 있거든. 뒷골목에서 생선처럼 거꾸로 매달려 세상을 봐. 영혼이 똑바로 설 거야. 너는 신화를 적는 노트니까.

---

* 소독약 머큐로크롬의 일본어. 일명 '빨간약'으로 불렸다.

르누아르

소독내 가득한 백색 벌판

공백에서 공백으로 건너다니지만

가는 곳마다 페널티에어리어다.

병에 걸리면 매몰될까 봐 강물이 사표를 냈어. 강물이 행정부인가
요? 결론은 아침 일찍 문 앞에 와 있어. 어디 출신 화장실이죠?

낮이면 다빈치의 미완성 그림 속에 숨어 지내다가

밤이 되면 달이 지나가는 길을 따라 걷고

가끔은 두보의 길에서

찢겨 나간 페이지의 마지막 황제인 양 외로움에 떤다.

나는 잃어버린 상징이니까.

고양이 르누아르가 실종됐어요. 르누아르는 역사책을 읽지 않았거
든요. 현대 학문을 가르쳤어야 했어요. 1이 더 무거운지 3이 더 무거운
지, 그리고 0과 1의 결혼에 대해서 가르쳤어야 했지요. 안데르센의 주
석 병정을 따라간 거 아닐까요?

외로움에 지쳐

밤하늘의 별들로 글씨를 쓰고 지나가는 바람으로 통신

을 하고 에코로 말을 건네지만

이민족인 듯

아무도 나를 알아보는 이 없다.

새들이 죽은 자리, 풀잎이 만장으로 날리는 곳에서

나는 행방불명자가 되어

길고양이 모임이나 기웃거린다.

세상이 옐로에서 오렌지로 바뀌었는지 몰랐어요. 힘센 그림자에 부딪히지 않도록 조심해야 해요. 르누아르에게 철학박사 학위를 줄걸 그랬어요.

오랑캐꽃

볼펜처럼 질질 짜지 마. 어차피 꿈은 꿈과 싸우고 새들은 사냥꾼에게 뛰어들게 되어 있어. 밤바람은 얼굴을 읽지 못하고, 강물은 무심하게 흘러가. 불청객을 너무 많이 담은 귀는 소금에 절여야 해.

햇빛이 부스러지는 뒷골목으로

반항적인 눈들이 떠돌아다니고

낯선 목소리들이 귀를 채우는

야수의 발자국밖에 없는 밤 속으로 들어간다.

말고기들! 하나님이 귀에다가 무서운 말을 넣으면 어떡하려고 그래. 죽어가는 갓난아이처럼 아무것도 요구하지 말아야지. 우리는 이 시대의 불청객이니까.

수세기에 걸쳐 물려받은 슬픔이 팬터마임으로 떠돌고

칼에다 잔소리를 한 목소리가 매를 맞는다.

신의 이야기를 물어 오는

종이 새들아!

날아라, 성스런 사막을

하늘에 고요의 씨앗을 뿌리고 핫윙이라도 붙여줄 테니

제발 마분지 소녀를 사랑한 피에로처럼 징징대지 마. 가난한 사람들은 위험한 장난감이야. 가슴에 돌을 던져도 바닥에 떨어지는 소리를 들을 수 없어. 큰 방에서 작은 방으로 이민을 가버리든가 돌아갈 곳이 없도록 세상을 파괴해버려!

끔찍한 시대에 닻을 내리니

박제된 음악이 창문으로 들여다보고

개들도 가난한 이들을 증오한다.

나는 재치 있는 말들을 모두 버리고

죽어라 개새끼! 해보지만 개는 히죽히죽 웃을 뿐

빗방울보다 작은 주먹들아!

날아라, 돈과 권력 사이에 갇히기 전에

가로수가 포옹하는 걸 조심하라고! 질식해 죽을 수도 있어. 하늘을 너무 만지면 악몽을 꾸게 돼. 뱉은 말이 숲 속에 떨어지면 외로움에 떨거든.

친구를 갖지 못한 가로수 사이를 왔다 갔다 하며

기침만 갖고 온 이 시대에

가난한 피에로는 버드나무보다 깊게 머리를 숙이고

분노를 햇빛으로 삼고 증오를 달빛으로 삼아

종교가 고안해낸 모든 범죄 속을 걷는데
뱃속에서 오랑캐꽃이 날개를 편다.

바그다드 카페

오랜만에 만난 여자에게서
화약 냄새가 난다.
찬찬히 훑어보니
얼굴에 파편 자국이 역력하다.
영화 촬영장에라도 갔다 왔느냐고 물으려다가
홈쇼핑을 너무 해서 그런 것 아니냐고 나무라니
여자는 정색을 하며
바그다드에 다녀왔어요, 한다.
여자는 정말 바그다드를 다녀오기라도 한 듯
남루한 행색에 머리까지 부스스해 가지고는
깜짝깜짝 놀라며
자꾸 넋을 잃는다.
여자의 운명을 걱정하며
밤새 잠을 이루지 못하다가
다음 날 아침 찾아가보니
여자의 눈은 정말 움푹 패어 있다.

새의 초상화*

내 영혼의 나라가 멸망한 후
법률 냄새 가득한
슬픈 풍경화 속을 서성인다.
시간의 밖
먼 나라의 가족이 그리우면
남몰래
내 나라의 냄새를 풍기는 똥을 거리 곳곳에 누기도 하고
구름의 지도를
가로등 아래 펼쳐놓고
가족과 헤어진 곳을 가늠해보기도 한다.
나는 달나라의 왕!

난파선처럼 떠돌아다니는 시간은 갈수록 조각나고
회상의 시간은 줄어들어
전쟁의 흔적이 역력한 길 아래
유골들이 말하는 소리를 듣는다.
나 대신 상복을 입고 다니는 그림자여**

증오의 시간을 기억하는 독풀을 뜯어 먹고 사는
스핑크스는 어디 있느냐.
나는 우주를 떠도는 달나라의 왕!

존재가 담배를 피우니
장기의 말처럼 뛰어다닐 공간도 찾을 수 없구나.
국적 잃은 떠돌이는
아무 데서나 수수께끼를 풀어야 한다.
나라를 잃은 나는
먼 나라의 가족을 겨우 그리워하기도 벅차다.
나는 잃어버린 섬, 달나라의 왕!

오늘 저녁에는
오래된 무덤의 石人으로부터 초대를 받았다.
푸른 등이 유골 위에 켜져 있고
자동차의 광기가 갈 수 없는 곳으로
요한의 일곱 촛불을 켜고 가려 한다.

구름 지도는 나날이 범위를 넓혀가는데
나는 한 국가인 듯
사람들의 말을 알아들을 수 없어
통역을 구해야 할 것 같다.
나는 죽은 자들의 무덤, 달나라의 왕!

목이 마르다.
멸망한 나라가 내 두뇌에서 영토를 넓히고 있어
갈수록 시커멓게 타들어가는 내 그림자에
불을 켜주고 싶다.

---

* 자크 프레베르의 시 「새의 초상화를 그리기 위해」에서 가져옴.
** 기욤 아폴리네르의 시 「은하수」에서 가져옴.

해설 · 시인의 말

허공에 뿌리를 내리고 살아가는
위장 전입자의 절망과 시

우대식 시인

　몇 년 전의 일이다. 안면이 없던 시절 그가 후배인 나에게 전화를 한 통 해 왔다. 지방 가는 길에 평택에 들렸는데 술이나 한잔할 수 있느냐는 것이었다. 나는 곧장 평택역으로 나갔다. 시 쓰는 동업자 사이에 종종 있는 일이었기에 가까운 호프집에 들어가 서로의 근황을 물었다. 그날 그는 거품이 찬 맥주에 뜨거운 물을 부어 천천히 마셨다. 그 뒤 우리는 꾸준히 안부를 묻고 만나왔다. 사람의 인연이란 무어라 설명할 수 없는 것이어서 횟수는 몇 번 안 되지만 그와는 늘 자주 만나왔다는 느낌이다. 후배인 나를 동생같이 여긴 탓인지 매번 염려 섞인 안부를 전해왔다. 그와의 인연은 주막에서 주막으로 이어지며 그의 학교가 있는 충무로나 인사동, 멀리는 수원까지 영토를 확장해왔다. 고맙다는 말밖에는 할 말이 없다.

　그리 크지 않은 키의 그는 언제나 한쪽 어깨에 가방을 메고 다녔다. 그런데 요즘 들어 그의 가방에서 놀랄 만한 물건들이 나왔다. 무엇 때문인시는 모르지만 문청 시절에 읽었을 법한 세계의 고전 문학들로 가방이 가득 채워져 있었다. 그의 최근 작업을 본 짐작으로는 '시란 무엇인가' 하는 고민이 깊어질수록 악랄하게 고전을 들여다보며 약간의 위안과 자기 실존에 대한 확인을 해온 것이리라. 그럴 즈음 이번 시집을 내면서 시집 해설을 내게 부탁한 것이 퍽이나 의외였고, 뭔가 착각이 있었으리라 생각하면서도 시인이 쓰는 산문 형식으로 써달라는 그의 요구를 차마 뿌리치지 못한 것은 주막에서 맺어온 그 혼돈의 심교(心交) 때문이다. 그가 위대한 시인이 되어서 시가 텍스트로서 읽힐 때 시집 해설은 매우 중요한 구실을 할 터인데 시집 해설자가 오히려 방해가 될 수도 있겠다는 생각을 하면 미안하기도 하다.

그의 시집은 다양한 형식적 특성은 물론 내용적으로도 불우한 가족사부터 내면의 갈등 그리고 정치 문제까지 실로 광범위한 주제들을 다루고 있다. 하지만 그러고도 무언가 다 말하지 못해 서운하다는 뉘앙스를 풍긴다. 그의 시에 등장하는 다양한 인물들 혹은 음악이나 작품들에 대한 인유나 인용도 그런 느낌에 한몫하고 있다.

첫 페이지를 넘기며 만난 것은 브레히트와 유사한 시적 발상이었다. "이 바보 같은 사회에서/서정시는 무슨 소용이 있는가?"(「여자 투우사」)라는 일갈은 "나의 시에 운율을 맞춘다면 그것은 내게 거의 오만처럼 생각된다"는 브레히트의 「서정시를 쓰기 힘든 시대」의 절규와 상통한다. 브레히트의 시가 분명한 계급적 관계를 통하여 서정시의 의미를 묻고 있다면 전기철의 서정시에 대한 사유는 보다 복잡한 국면을 함유하고 있다. 전기철의 서정시에 대한 비토는 자본주의의 모순을 포함한 인간의 이기적인 삶에서 비롯된 자연의 대재앙 그리고 누이로 상징되는 척박한 노동의 현장까지 우리 시대의 일그러진 자화상에 바탕을 두고 있다. "허공에 뿌리를 내리고 살아가는 사람에게 내일은 없는 거야"(「여자 투우사」)라는 일종의 선언적 문장은 이 시집 전체를 관류하는 메시지의 주요한 뼈대를 이루고 있다. "나의 시/한복판에 박히는" "투우사의 칼"은 어쩌면 전기철이 생각하는 시란 무엇인가에 대한 상징적인 답을 담고 있을지도 모른다. 칼을 맞지 않은 시란 그렇고 그런 서정시일 뿐이라는 그의 인식은 자신의 시를 내용이나 형식에 있어서 극단의 지점으로 몰아가는 주요한 계기로 작용한다.

그의 시 근저에 놓인 상처는 불우한 가족사에 기초한다. 그것은 더러는 사실적으로, 더러는 상징적으로 그려진다. 배추를 다 팔지 못해 돌아오지 못하는 어머니(「한여름 밤의 꿈」), 전쟁이 끝나도 돌아오지 못하는 아버지(「발해의 말 장수」), 창문이 없는 영혼(「풀 하우스」)으로 술집을 전전하는 나(「키치」), 사랑하는 연인을 잃고 나서 미국 재즈 가수 빌리 홀리데이의 〈불행해서 기뻐요〉를 불러대는 형(「불행해서 기뻐요」), 불행한 과거를 들쑤시고 살아가는 누이(「부러진 봄」) 등 시집 전편에 내재한 불우한 가족사는 전기철이 그려내는 서사의 주요 의미망을 형성한다. 이 가운데 특히 누이의 이야기는 시급 노동자로, 이혼하고 두 아이를 혼자 키우며 살아가는 간병인으로 그려지며 불우한 가족사의 정점을 보여준다. 여성성의 상징이 어머니가 아니라 누이로 나타나고 있지만 궁극적으로 누이는 어머니와 동일한 존재이기도 하다. 누이의 몰락은 이미 어머니의 몰락에 그 바탕을 두고 있다. 따라서 누이의 모성성은 회복이 불가능할 정도로 파괴되어 있으며, 시적 화자와 누이 그리고 어머니로 이어지는 육친의 관계성이 발견되지 않는다는 것은 특이한 현상이기도 하다. 전기철의 시가 다른 시인들의 시와 다르게 누이가 등장하면서도 메마르게 느껴지는 이유의 일단도 여기에 있다고 생각한다. 회복할 수 없는 육친의 관계는 트라우마로 각인되어 있다.

147

아버지는 위험한 야당 정치인이니 따라다니느라
집에는 코빼기도 내밀지 않았고
어머니는 미장원에 가서 처녀 적
미모에 대한 거짓말을 늘어놓느라
밤이 늦도록 돌아오지 않았다.

총각을 떼기는 정말 힘들었다.
친구들은 내 총각을 떼어주려고
은회색 밤으로 끌고 다녔지만
나는 고자 콤플렉스에 시달렸다.

『펜트하우스』를 보며 자위를 하고
타나토스와 에로스 사이에서 방황하며
잠을 설치기 일쑤였는데
자다가도 가위에 눌려 일어나보면
내 그림자가 자위를 하고 있었다.
그런 날 아침은 딴 세상이었다.

_「풀 하우스」 부분

    고자 콤플렉스란 성인 입사 양식의 하나로 자신이 고자일지도 모른다는 공포에 기인한다. 섹스라는 행위는 성인과 아이를 가르는 육체적 경험이지만 실제로는 정신적 기원에 더 큰 무게를 둘 수 있다. 섹스를 할 수 없다는 콤플렉스는 비정상적인 가족 관계에서 오는 상처의 하나로 진단할 수 있다. 섹스는 분명히 심리적인 기제가 개입되어 있기 때문이다.

전기철의 시에 내재한 이 상처의 흔적은 지상에서의 현실을 부정한다는 점에서 더 큰 문제를 야기한다. 동일한 시간과 공간을 살아가지만 자신을 "먼 왕조의 위장 간첩" 혹은 "위장 전입자"(「굿모닝 충무로」)로 규정한다는 점에서 그가 지닌 불행은 현재 진행형이다.

> 나는 먼 왕조의 위장 간첩
> 내 안에 역사가 넘쳐
> 질질 끌고 다니는 기억들 때문에
> 두 귀는 서로 다른 소리를 듣고
> 머릿속에서는 풀이 자란다.
>
> (중략)
>
> 부비트랩이 널려 있는 세상에서
> 불행은 전염되고
> 예언자의 모순된 말을 알아들을 수 없으니
> 나는 다시 먼 왕조로 돌아가야 하는가.
>
> ―「굿모닝 충무로」 부분

상처의 기원이 불행한 가족사든 혹은 세계 인식의 한 방법이든 간에 고자 콤플렉스는 여전히 그를 괴롭힌다. 세계와의 섹스가 불가능한 상태를 그는 부비트랩, 불행, 알아들을 수 없음으로 표현한다. 먼 왕조의 위장 간첩이라는 말은 돌이켜보면 이 시대와 불화한다는 의미이며 그가 다시 먼 왕조로 돌아간다는 것은 심리적 퇴행을 의미하는 것이기도 하다. 시인 홍사용이 시 「나는 왕이로소이다」에서 "눈물의 왕이로소이다"라고 외쳤던 심리적 상태가 전기철의 시 곳곳에 보이는 것은 심리적 발달 과정에서 위험이나 갈등을 겪을 때 그동안의 발달의 일부를 상실하고 마음의 상태가 과거로 후퇴하는 심리적 방어기제를 보여준다는 점에서 일치한다. 숨겨진 자아의 또 다른 모습이 전기철의 시에서는 왕인 것이다. 이오네스코의 희곡 「왕은 죽어가다」에서 촉발한 왕의 이미지는 그의 시 전반에 자기 동일성을 띠며 나타나고 있다. "여동생이 이혼하고 어머니의 집으로 다시는 돌아가지 않겠다고 한 말이 떠오르자 폐허에 묻힌 왕의 고독이 밀려온다" 그리고 "이오네스코의 「왕은 죽어가다」를 몇 줄 읽다가 던져버렸다. 나는 이미 죽은 왕이니까", "나는 달나라의 왕!" 이라는 구절은 전기철에게는 현실계에서 패배한 자아의 형상을 의미하는 것이기도 하다.

　　생각이 죄가 되는 시대
　　나는 어둠과 말다툼을 한다.

　　약속이 많은 밤
　　사형 집행당한 영혼들이
　　병에 걸린 허수아비처럼 중얼거릴 때
　　나는 은밀한 슬픔을 안고 있다가
　　폐위된 왕인 양
　　비밀을 털리고 만다.
　　　　　　　　　　　　　　　＿「외눈박이 거인의 나라」 부분

　희곡 대사에서 방백 혹은 독백 같기도 한 위 시는 설화적 상상력을 바탕으로 "강물과 공기까지도 부자들에게 팔린 도시"(「외눈박이 거인의 나라」)에 살아가는 고통을 그리고 있다. 가장 큰 문제는 생각이 너무 많다는 것이다. 폐위된 왕처럼 이 시대로부터 밀려나는 시적 화자 자신의 얼굴을 스스로 지켜보는 것은 병적이라는 인상을 준다. "내 머리는 불행의 창고"라는 절규는 이 시대와 화해할 수 없는 한 예술가의 초상을 제시해 주고 있다. 전기철의 시에 나타난 세계와의 부조화는 유토피아 혹은 일상이나 자연으로 회귀하고 싶은 욕망의 좌절에서 비롯된 것이다.

오늘은 예이츠가 죽은 날
그날처럼
눈 내리고 춥다.

바람이 어둠과 범벅이 되어
헛소문을 퍼뜨리고 다니는 거리에서
떨고 있는
나의 누이, 플라타너스여,

아직 나는
유년의 대륙을 찾지 못해
고독을 어깨에 짊어지고
증오를 직업으로 삼은 채 갈 곳을 찾지 못하고 있다.

왜 이렇게
그리움은 쉽게 마모되고
희망은 마약인가.
가진 자들이 사이코패스가 되어 눈을 부라리는

엄혹한 세상에서
나는 저주받은 시나 쓴다.

나의 누이, 플라타너스여,
내 유년의 대륙으로 가고 싶다.
그곳에 가서
쓸모없는 나무가 되고 싶다.

오늘은 예이츠가 죽은 날
불평 많은 나의 시를 데리고
이니스프리로 가고 싶다.

　　　　　　　　　　　　　　　　　　_「플라타너스」전문

    아일랜드 시인 예이츠를 추모하는 형식으로 쓰인 이 시에서 두 가지 욕망을 엿볼 수 있다. 하나는 유년의 대륙을 찾고 싶다는 것, 그리고 다른 하나는 이니스프리로 가고 싶다는 것이다. 유년의 대륙은 그리움이나 희망이 살아 있는 시원의 공간을 의미하는 것으로 「풀 하우스」에서 "바이칼로 가는 꿈을 결코 접을 수는 없"다는 다짐에서의 바이칼이라는 공간과 일치한다고 볼 수 있다. 그곳은 때 묻지 않은 곳이라는 점에서 예이츠의 시 「이니스프리의 호도」의 이니스프리와 같은 성격의 공간이기도 하다. 저주받은 시를 쓸 수밖에 없는 현실 속에서 때 묻지 않은 유년의 대륙에 가서 '무용지목(無用之木)'이 되고 싶다는 욕망은 그가 투신한 문학의 한 정점을 보여준다. 문학의 현실적 쓸모없음이 가장 훌륭한 문학의 쓰임이라는 아이러니에는 문학에 전적으로 투신한 한 시인의 욕망과 좌절이 음각되어 있다. 그것은 따라서 결국 아무것도 남은 것이 없는, 그래서 의미 있는, 문학 발생론과 밀접한 관련이 있다. 마지막 구절은 의미심장하다. "불평 많은 나의 시를 데리고/이니스프리로 가고 싶다"는 욕망 속에 그의 곤고한 삶과 문학이 감추어져 있기 때문이다. 브레히트와 더불어 예이츠에 대한 전기철의 애정은 각별하다.

> 친구야,
> 별이란 다른 시간에서 달려오는 거야.
> 나는 네 밤의 장기 투숙자가 될게.
> 네가 보고 싶으면
> 외로운 공중전화 부스에서
> 너의 별에 전화를 걸게.
> 예이츠의 보름달이 뜨면
> 하루를 반으로 찢어서 너에게 편지도 쓸게.
>
> ―「풍금」부분

"예이츠의 보름달"은 예이츠가 쓴 시편 가운데 보름달 아래 명상이 담긴 시편이다. 사실 예이츠는 이러한 목가적이고 명상적인 시도 썼지만 신화를 바탕으로 난해한 글을 쓴 것으로 유명하다. 전기철이 주목하는 것은 전자이다. 하지만 아이러니하게도 실제 전기철의 작품들은 오히려 자아와 세계의 갈등 양상이 첨예화된 예이츠의 중기 이후의 시편들과 유사성이 있다.

전기철이 예이츠의 초기 시를 주목하는 이유는 그의 무의식 어딘가에서 자아와 세계의 온전한 결합을 꿈꾸고 있기 때문이다. 메마른 듯 보이지만 종종 그의 시에서 우수에 가득 잠겨 있는 풍경이 발견되는 경우는 대체적으로 지상의 것과 결별한 혹은 비현실적인 것들에 대한 발화가 주를 이루고 있을 때이다. 현실에서의 자아는 늘 고통의 그늘 아래 놓여 있기 때문이다. "누이야,/나도 권선징악이 있고/해피엔딩이 있는 세상으로 가고 싶어."(「부러진 봄」)에서 보듯 유토피아 혹은 자연이나 일상으로 회귀하고 싶은 욕망이 그에게 없는 것은 아니지만 그는 스스로를 "나는 고립된 국가야. 촛불처럼 홀로 깜박거리지"(「천 개의 도시」)라고 규정하고 있다.

아무도 나를 읽을 수 없다네.
달로 이민을 가려고
아홉의 사닥다리를 오르며
죽은 자들과 친구 하고

산 자가 그리우면
산 너머
떡갈나무에게 하소연하는
나는 불운의 연습장
고독의 전단지라네.

(중략)

나의 시는 어둠을 아는 장님이 읽고
절망 너머를 볼 줄 아는 자만이 읽는다네.
지구가 도는 소리를 듣는
나는 이 세상의 낙오자라네.
　　　　　　　　　　　　　　_「시인의 영토」 부분

자신과 자신의 시에 대한 이 도저한 부정의 기원이 무엇인가를 찾는 일은 쉽지 않다. 아버지나 어머니 혹은 나마저도 사물 A, B, C로 규정되는(「여름 가족」) 일이 그의 감각의 촉수로 걸어 올린 이 세계의 풍경이다. 그렇다면 참된 아트만이란 무엇인가에 대한 탐구가 동시에 이루어져야 하지만 전기철은 이 부분에서 영성을 바탕으로 한 참자아에 대한 탐구를 포기한다. 방기한다는 말이 옳을 것이다. 오히려 그 진창의 세계로 한 발 더 들어감으로써 세계와의 갈등을 심화시키고 있다. 동양의 미덕이란 존재의 무화에 있을 터이지만 전기철은 자신 앞에 놓인 신(세계)과 투철한 싸움을 감행함으로써 자신의 존재를 밝히려고 몸부림치고 있다. 그랬을 때 자신의 실존의 문제를 다시금 생각하지 않을 수 없는 것이다.

다산, 아니 요한은 왜 유배지에서라도 다시 신을 찾지 않았을까. 바람이 몇 장의 하늘을 걷어낸 계절 속으로 들어가보면 달이 도는 소리인지 지구가 도는 소리인지 시간의 소음이 요란하다.
　　　　　　　　　　　　　　　　—「茶山은 왜 요한을 배반했을까」 부분

한 인간의 실존적 고뇌를 문제 삼고 있는 이 시는 요한이라는 세례명까지 받은 다산 정약용이 왜 신의 존재를 끝까지 부정했을까 하는 문제에 대해 명상한다. 베드로와 같이 인간의 한계 때문에 신을 몇 번 부정하고도 다시 신을 찾는 모습은 오히려 인간적이기까지 하다. 다산이 그의 집안을 풍비박산으로 몰고 간 신의 존재를 끝까지 외면한 이유에 대해 시적 화자는 알고 싶어 한다. 그것은 단순히 한 실존을 넘어 도대체 인간이란 무엇인가 하는 질문과 등가의 것이기에 그의 질문은 집요하다. "요한, 아니 다산이 신을 배반한 영혼의 길은 곡선일까 직선일까",

"당신이 신을 배반한 영혼의 길은 보이지 않는다" 등의 물음을 통해 인간 너머에 도사린 허기진 영혼의 쓸쓸함을 제시하고 있다. 그는 지금 여기의 상태를 "배고픔을 달랠 곳을 찾지 못한 채 걷고" 있다고 말한다. 영혼의 배고픔이야말로 전기철 시의 본령이라 할 수 있다. 이 세계는 영혼보다는 물질에 더 가깝기 때문에 그의 외로움은 깊어간다.

전기철의 이번 시집이 가진 또 다른 특징 중 하나는 정치에 대한 비판적 메시지가 편년체(編年體)의 방식으로 구성된 시가 여러 편 있다는 것이다. 이 시들은 연월에 따라 역사를 기술하는 역사 편찬의 한 체제를 빌려 세계의 폭력성을 고발하고 있다. 「약 아이」, 「그리고 아무도 오지 않았다」, 「슬픈 피에로」 등의 작품이 그것으로 '오바마 모년 혹은 이명박 모년 모월 모일' 혹은 '이명박 모년 모월 모일 모시'와 같이 연대를 기록하는 수법으로 구성되어 있다.

> 오바마 2년 혹은 이명박 3년 1월 2일 눈이 뿌리다
> 파키스탄에서 폭탄 테러가 있었다. 지구상에서 전쟁은 결코 끝나지 않았다. 용산의 전쟁은 한쪽에서는 끝났다고 하고 또 다른 쪽에서는 끝나지 않았다고 한다. 보스(Hieronymus Bosch)의 돌이 머리에 너무 깊이 박혔나 보다. 머릿속에 목소리가 많이 들어와 있다. 나는 아침부터 루터의 잉크병을 던지며 법석을 떨었다. 눈은 먼 산에서 시대에 대한 성명서를 펼치고 있었다. 서울에서는 가격표들이 둥둥 떠다녔다. 나는 청동 소녀의 슬픈 책 속을 더듬는다. 소녀의 책은 너무 시끄럽다.
> ─「약 아이」 부분

오바마는 미국의 상징으로 미국은 끊임없이 경찰국가를 자임하며 세계의 모든 분쟁에 개입해왔다. 파키스탄, 아프가니스탄을 위시한 아랍

의 수많은 분쟁의 배후에 미국이 있다. 시적 화자는 부조리한 폭력의 배후에 미국이 있다는 사실을 오바마 연대로 기술함으로써 그 부당함을 고발하고 있다. 이명박의 연대도 마찬가지이다. 처참한 용산 참사는 기층 국민들에게 깊은 상처를 주었지만 기득권들에게는 지나간 과거의 한 사건에 불과한 것이다. 다른 한쪽에서는 끝났고 다른 한쪽에서는 끝나지 않은 사건이 동일한 공간과 시간에 존재하고 있다는 사실을 통해 우리 사회의 대립적 모순을 선명히 보여준다. 이러한 정치적 사건에 대한 그의 진단과 태도는 지극히 상징적이다. 히에로니무스 보스라는 네덜란드 화가의 작품 〈돌 수술〉을 끌고 와 자신의 머리에 돌이 너무 깊이 박혔다고 고백하고 있다. 돌 수술은 머리에 박힌 돌을 제거하면 멍청함을 고칠 수 있다는 일종의 사기였는데, 그림에는 아이러니하게 신부와 수녀가 수술하는 장면을 지켜보고 있다. 보스의 작품은 인간의 어리석음을 풍자하고 있는 것이다. 그런데 시적 화자는 어리석은 환자가 바로 자기 자신이라 고백한다. "루터의 잉크병"은 교황에게 반기를 들고 비텐베르크 성에 은둔하며 라틴어 성경을 번역하던 루터의 상징이다. 고난의 은둔 생활 속에서 한 번만 양보하면 편안한 삶을 보장받지만 그러한 마음이 들 때마다 벽이나 책상에 잉크병을 집어던지며 "사탄아, 물러가라!" 하고 소리쳤다는 일화가 전해 내려온다. 돌 수술을 받는 환자와 루터는 상반된 인간형이다. 기존의 말도 안 되는 관습에 복종하는 어리석은 인간형과 문제의 근원을 타개하기 위해 스스로 뼈를 깎는 깨어 있는 인간형을 동시에 자신에게 대입한 것은 말 그대로 자아 정체성의 혼돈이다. 이 혼돈은 사실 지구 곳곳에 전쟁이 일어나고 부당하게 사람이 죽어가고 제 머리에 총을 겨누는 소년들이 있음에도 불구하고 아무 일 없다는 듯이 살아가는 이 세계에 대한 반작용에 가깝다. "고양이가 순례하는/포연이 아직 남은 도시/시체를 먹는 개들이 도마뱀처럼 눈을 씻는 도시에서/삶을 연습하는 사람들"(「타르코타르 2」)에 대한 비판의 메시지이며 또한 그렇게 함께 살아가는 자신에 대한 연민이기도 한 것이다.

　제3부에 실린 일부 시편들은 형식적으로 굳이 이름 붙이자면 이중주 형태를 보이고 있다. 그 이중주 형식은 어느 하나의 시에 집중하는 것을 방해한다. 그 방해가 전기철 시인이 의도한 것이라는 생각을 지울 수 없다. 그 분열의 양상을 통해 그가 보여주고자 하는 바가 분명 있을 것이다. 그러나 그의 시에 나타나는 조롱과 야유가 풍자가 되지 않을 때 그 깊은 곳에서 종종 낭만주의적 태도를 만나게 되는 것도 사실이다.

　그의 형식적 실험은 한국 시단에 고마운 일이다. 예술에 있어서 형식과 내용이 필연의 어떠한 관계라고 말하면서도 한국 시가 형식적으로는 지나치게 산문시에 몰두하고 있다는 것이 개인적인 생각이다. 몇 편 되지 않는 것이라서 쉽게 규정할 수 없지만 그가 전위적 형식에 대한 탐구를 멈추지 않았으면 하는 바람이다.

　이 글을 쓰고 나니 나를 여기까지 끌고 온 그와의 혼돈의 심교가 후회스럽기까지 하다. 그러나 이미 쏘아버린 화살이다. 그와의 지난날을 회상하며 무어라 설명할 수 없는 사람의 인연에 대해 다시 한 번 생각해본다. 그 곁에서 다음의 시 한 편은 이 겨울 두고두고 마음을 떠나지 않는다.

　　　밤이 늦어서야 돌아오는
　　　흰 소가 끄는 수레

　　　어둠이 찰랑거리는
　　　수수께끼의 고요

　　　밤의 오선지 위

흰 소의 발자국

뛰노는 말들
흰 소의 말들

불빛, 가물거리는
잊었던 말들

방죽, 별자리, 수탉의 잔소리, 달의 빈정거림
새처럼 날지 못하는 말들

한밤의
흰 방울 소리

_「눈 오는 밤」 전문

시집은 시의 무덤.
어떻게 내 영혼의 채무를 상환할 수 있을까!
세상의 모든 악몽을
불 질러
시의 제단에
꽃다발로 바치리라.

전기철